El Gran Conflicto

El Gran Conflicto

E.G. White

Pacific Press® Publishing Association
Nampa, Idaho
Oshawa, Ontario, Canada

Título del original en inglés: *The Great Controversy*
Diseño de la portada: Kim Justinen y Merwin Stewart
Ilustraciones: Pacific Press® Publishing Association

Editado e impreso por
PUBLICACIONES INTERAMERICANAS
División Hispana de la Pacific Press® Publishing Association
P. O. Box 5353, Nampa, Idaho 83653,
EE. UU. de N. A.

ISBN 0-8163-9437-7
Printed in the United States of America

00 01 02 • 03 02 01

ÍNDICE

EL ORIGEN DEL MAL Y DEL DOLOR

PARA muchos el origen del pecado y el porqué de su existencia es causa de gran perplejidad. Ven la obra del mal con sus terribles resultados de dolor y desolación, y se preguntan cómo puede existir todo eso bajo la soberanía de Aquel cuya sabiduría, poder y amor son infinitos. Es esto un misterio que no pueden explicarse. Y su incertidumbre y sus dudas los dejan ciegos ante las verdades plenamente reveladas en la Palabra de Dios y esenciales para la salvación. Hay quienes en sus investigaciones acerca de la existencia del pecado, tratan de inquirir lo que Dios nunca reveló; de aquí que no encuentren solución a sus dificultades; y los que son dominados por una disposición a la duda y a la cavilación lo aducen como disculpa para rechazar las palabras de la Santa Escritura. Otros, sin embargo, no se pueden dar cuenta satisfactoria del gran problema del mal, debido a la circunstancia de que la tradición y las falsas interpretaciones han oscurecido las enseñanzas de la Biblia referentes al carácter de Dios, la naturaleza de su gobierno y los principios de su actitud hacia el pecado.

Es imposible explicar el origen del pecado y dar razón de su existencia. Sin embargo, se puede comprender suficientemente lo que atañe al origen y a la disposición final del pecado, para hacer enteramente manifiesta la justicia y benevolencia de Dios en su modo de proceder contra todo mal. Nada se enseña con mayor claridad en las Sagradas Escrituras que el hecho de que Dios no fue en nada responsable de la introducción del pecado en el mundo, y de que no hubo retención arbitraria de la gracia de Dios, ni error alguno en el gobierno divino que dieran lugar a la rebelión. El pecado es un intruso, y no hay razón que pueda explicar su presencia. Es algo misterioso e inexplicable; excusarlo equivaldría a defenderlo. Si se pudiera encontrar alguna excusa en su favor o señalar la causa de su existencia, dejaría de ser pecado. La única definición del pecado es la que da la Palabra de Dios: "El pecado es transgresión de la ley"; es la manifestación exterior de un principio en pugna con la gran ley de amor que es el fundamento del gobierno divino.

Antes de la aparición del pecado había paz y gozo en todo el universo. Todo guardaba perfecta armonía con la voluntad del Creador. El amor a Dios estaba por encima de todo, y el amor de unos a otros era imparcial. Cristo el Verbo, el Unigénito de Dios, era uno con el Padre Eterno: uno en naturaleza, en carácter y en

> *El pecado nació en aquel que, después de Cristo, había sido el más honrado por Dios y el más exaltado en honor y en gloria entre los habitantes del cielo.*

designios; era el único ser en todo el universo que podía entrar en todos los consejos y designios de Dios. Fue por intermedio de Cristo por quien el Padre efectuó la creación de todos los seres celestiales. "Por él fueron creadas todas las cosas, en los cielos, ... ora sean tronos, o dominios, o principados, o poderes" (Colosenses 1: 16, V.M.); y todo el cielo rendía homenaje tanto a Cristo como al Padre.

Como la ley de amor era el fundamento del gobierno de Dios, la dicha de todos los seres creados dependía de su perfecta armonía con los grandes principios de justicia. Dios quiere que todas sus criaturas le rindan un servicio de amor y un homenaje que provenga de la apreciación inteligente de su carácter. No le agrada la sumisión forzosa, y da a todos libertad para que le sirvan voluntariamente.

Pero hubo un ser que prefirió pervertir esta libertad. El pecado nació en aquel que, después de Cristo, había sido el más honrado por Dios y el más exaltado en honor y en gloria entre los habitantes del cielo. Antes de su caída, Lucifer era el primero de los querubines que cubrían el propiciatorio santo y sin mácula. "Así dice Jehová el Señor: ¡Tú eres el sello de perfección, lleno de sabiduría, y consumado en hermosura! En el Edén, jardín de Dios, estabas; de toda piedra preciosa era tu vestidura". "Eras el querubín ungido que cubrías con tus alas; yo te constituí para esto; en el santo monte de Dios estabas, en medio de las piedras de fuego te paseabas. Perfecto eras en tus caminos desde el día en que fuiste creado, hasta que la iniquidad fue hallada en ti" (Ezequiel 28:12-15, V.M.).

Lucifer habría podido seguir gozando del favor de Dios, amado y honrado por toda la hueste angélica, empleando sus nobles facultades para beneficiar a los demás y para glorificar a su Hacedor. Pero el profeta dice: "Se te ha engreído el corazón a causa de tu hermosura; has corrompido tu sabiduría con motivo de tu esplendor" (Vers.17). Poco a poco, Lucifer se abandonó al deseo de la propia exaltación. "Has puesto tu corazón como corazón de Dios". "Tú . . . que dijiste:... ¡Al cielo subiré; sobre las estrellas de Dios ensalzaré mi trono, me sentaré en el Monte de Asamblea; me remontaré sobre las alturas de las nubes; seré semejante al Altísimo!" (Ezequiel 28: 6; Isaías 14: 13- 14, V.M.). En lugar de procurar que Dios fuese el objeto principal de los afectos y de la obediencia de sus criaturas, Lucifer se esforzó por granjearse el servicio y el homenaje de ellas. Y, codiciando los honores que el Padre Infinito había concedido a su Hijo, este príncipe de los ángeles aspiraba a un poder que sólo Cristo tenía derecho a ejercer.

El cielo entero se había regocijado en reflejar la gloria del Creador y entonar sus alabanzas. Y en tanto que Dios era así honrado, todo era paz y dicha. Pero una nota discordante vino a romper las armonías celestiales. El amor y la exaltación de sí mismo, contrarios al plan del Creador, despertaron presentimientos del mal en las mentes de aquellos entre quienes la gloria de Dios lo superaba todo. Los consejos celestiales alegaron con Lucifer. El Hijo de Dios le hizo presentes la grandeza, la bondad y la justicia del Creador, y la naturaleza sagrada e inmutable de su ley. Dios mismo había establecido el orden del cielo, y Lucifer al apartarse de él, iba a deshonrar a su Creador y a atraer la ruina sobre sí mismo. Pero la amonestación dada con un espíritu de amor y misericordia infinitos, sólo despertó un espíritu de resistencia. Lucifer dejó prevalecer sus celos y su rivalidad con Cristo, y se volvió aún más obstinado.

El orgullo de su propia gloria le hizo desear la supremacía. Lucifer no apreció como don de su Creador los altos honores que Dios le había conferido, y no sintió gratitud alguna. Se glorificaba de su belleza y elevación, y aspiraba a ser igual a Dios. Era amado y reverenciado por la hueste celestial. Los ángeles se deleitaban en ejecutar sus órdenes, y estaba revestido de sabiduría y gloria sobre todos ellos. Sin embargo, el Hijo de Dios era el Soberano reconocido del cielo, y gozaba de la misma autoridad y poder que el Padre. Cristo tomaba parte en todos los consejos de Dios, mientras que a Lucifer no le era permitido entrar así en los designios divinos. Y este ángel poderoso se preguntaba por qué había de tener Cristo la supremacía y recibir más honra que él mismo.

Abandonando el lugar que ocupaba en la presencia inmediata del Padre, Lucifer salió a difundir el espíritu de descontento entre los ángeles. Obrando con misterioso sigilo y encubriendo durante algún tiempo sus verdaderos fines bajo una apariencia de respeto hacia Dios, se esforzó en despertar el descontento respecto a las leyes que gobernaban a los seres divinos, insinuando que ellas imponían restricciones innecesarias. Insistía en que siendo dotados de una naturaleza santa, los ángeles debían obedecer los dictados de su propia voluntad. Procuró ganarse la simpatía de ellos haciéndoles creer que Dios había obrado injustamente con él, concediendo a Cristo honor supremo. Dio a entender que al aspirar a mayor poder y honor, no trataba de exaltarse a sí mismo sino de asegurar libertad para todos los habitantes del cielo, a fin de que pudiesen así alcanzar un nivel superior de existencia.

En su gran misericordia, Dios soportó por largo tiempo a Lucifer. Este no fue expulsado inmediatamente de su elevado puesto, cuando se dejó arrastrar por primera vez por el espíritu de descontento, ni tampoco cuando empezó a presentar sus falsos asertos a los ángeles leales. Fue retenido aún por mucho tiempo en el cielo. Varias y repetidas veces se le ofreció el perdón con tal de que se arrepintiese y se sometiese. Para convencerle de su error se hicieron esfuerzos de que sólo el amor y la sabiduría infinitos eran capaces. Hasta entonces no se había conocido el espíritu de descontento en el cielo. El mismo Lucifer no veía en un principio hasta dónde le llevaría este espíritu; no comprendía la verdadera naturaleza de sus sentimientos. Pero cuando se demostró que su descontento no tenía motivo, Lucifer se convenció de que no tenía razón, que lo que Dios pedía era justo, y que debía reconocerlo ante todo el cielo. De haberlo hecho así, se habría salvado a sí mismo y a muchos ángeles. En ese entonces no había él negado aún toda obediencia a Dios. Aunque había abandonado su puesto de querubín cubridor, habría sido no obstante restablecido en su oficio si, reconociendo la sabiduría del

Creador, hubiese estado dispuesto a volver a Dios y si se hubiese contentado con ocupar el lugar que le correspondía en el plan de Dios. Pero el orgullo le impidió someterse. Se empeñó en defender su proceder insistiendo en que no necesitaba arrepentirse, y se entregó de lleno al gran conflicto con su Hacedor.

Desde entonces dedicó todo el poder de su gran inteligencia a la tarea de engañar, para asegurarse la simpatía de los ángeles que habían estado bajo sus órdenes. Hasta el hecho de que Cristo le había prevenido y aconsejado fue desnaturalizado para servir a sus pérfidos designios. A los que estaban más estrechamente ligados a él por el amor y la confianza, Satanás les hizo creer que había sido mal juzgado, que no se había respetado su posición y que se le quería coartar la libertad. Después de haber así desnaturalizado las palabras de Cristo, pasó a prevaricar y a mentir descaradamente, acusando al Hijo de Dios de querer humillarlo ante los habitantes del cielo. Además trató de crear una situación falsa entre sí mismo y los ángeles aún leales. A todos aquellos a quienes no pudo sobornar y atraer completamente a su lado, los acusó de indiferencia respecto a los intereses de los seres celestiales. Acusó a los que permanecían fieles a Dios, de aquello mismo que él estaba haciendo. Y para sostener contra Dios la acusación de injusticia para con él, recurrió a una falsa presentación de las palabras y de los actos del Creador. Su política consistía en confundir a los ángeles con argumentos sutiles acerca de los designios de Dios. Todo lo sencillo lo envolvía en misterio, y valiéndose de artera perversión, hacía nacer dudas respecto a las declaraciones más terminantes de Jehová. Su posición elevada y su estrecha relación con la administración divina, daban mayor fuerza a sus representaciones, y muchos ángeles fueron inducidos a unirse con él en su rebelión contra la autoridad celestial.

Dios permitió en su sabiduría que Satanás prosiguiese su obra hasta que el espíritu de desafecto se convirtiese en activa rebeldía. Era necesario que sus planes se desarrollaran por completo para que su naturaleza y sus tendencias quedaran a la vista de todos. Lucifer, como querubín ungido, había sido grandemente exaltado; era muy amado de los seres celestiales y ejercía poderosa influencia sobre ellos. El gobierno de Dios no incluía sólo a los habitantes del cielo sino también a los de todos los mundos que él había creado; y Satanás pensó que si podía arrastrar a los ángeles del cielo en su rebeldía, podría también arrastrar a los habitantes de los demás mundos. Había presentado arteramente su manera de ver la cuestión, valiéndose de sofismas y fraude para conseguir sus fines. Tenia gran poder para engañar, y al usar su disfraz de mentira había obtenido una ventaja. Ni aun los ángeles leales podían discernir plenamente su carácter ni ver adónde conducía su obra.

Satanás había sido tan altamente honrado, y todos sus actos estaban tan revestidos de misterio, que era difícil revelar ante los ángeles la verdadera naturaleza de su obra. Antes de su completo desarrollo, el pecado no podía aparecer como el mal que era en realidad. Hasta entonces no había existido en el universo de Dios, y los seres santos no tenían idea de su naturaleza y malignidad. No podían ni entrever las terribles consecuencias que resultarían de poner a un lado la ley de Dios. Al principio, Satanás había ocultado su obra bajo una astuta profesión de lealtad para con Dios. Aseveraba que se desvelaba por honrar a Dios, afianzar su gobierno y asegurar el bien de todos los habitantes del cielo. Mientras difundía el descontento entre los ángeles que estaban bajo sus órdenes, aparentaba hacer cuanto le era posible por que desapareciera ese mismo descontento. Sostenía que los cambios que reclamaba en el orden y en las leyes del gobierno de Dios eran necesarios para conservar la armonía en el cielo.

En su actitud para con el pecado, Dios no podía sino obrar con justicia y verdad. Satanás podía hacer uso de armas de las cuales Dios no podía valerse: la lisonja y el engaño. Satanás había tratado de falsificar la Palabra de Dios y había representado de un modo falso su plan de gobierno ante los ángeles, sosteniendo que Dios no era justo al imponer leyes y reglas a los habitantes del cielo; que al exigir de sus criaturas sumisión y obediencia, sólo estaba buscando su propia gloria. Por eso debía ser puesto de manifiesto ante los habitantes del cielo y ante los de todos los mundos, que el gobierno de Dios era justo y su ley perfecta. Satanás había dado a entender que él mismo trataba de promover el bien del universo. Todos debían llegar a comprender el verdadero carácter del usurpador y el propósito que le animaba. Había que dejarle tiempo para que se diera a conocer por sus actos de maldad.

Satanás achacaba a la ley y al gobierno de Dios la discordia que su propia conducta había introducido en el cielo. Declaraba que todo el mal provenía de la administración divina. Aseveraba que lo que él mismo quería era perfeccionar los estatutos de Jehová. Era pues necesario que diera a conocer la naturaleza de sus pretensiones y los resultados de los cambios que él proponía introducir en la ley divina. Su propia obra debía condenarle. Satanás había declarado desde un principio que no estaba en rebelión. El universo entero debía ver al seductor desenmascarado.

Aun cuando quedó resuelto que Satanás no podría permanecer por más tiempo en el cielo, la Sabiduría Infinita no le destruyó. En vista de que sólo un servicio de amor puede ser aceptable a Dios, la sumisión de sus criaturas debe proceder de una convicción de su justicia y benevolencia. Los habitantes del

cielo y de los demás mundos, no estando preparados para comprender la naturaleza ni las consecuencias del pecado, no podrían haber reconocido la justicia y misericordia de Dios en la destrucción de Satanás. De haber sido éste aniquilado inmediatamente, aquéllos habrían servido a Dios por miedo más bien que por amor. La influencia del seductor no habría quedado destruida del todo, ni el espíritu de rebelión habría sido extirpado por completo. Para bien del universo entero a través de las edades sin fin, era preciso dejar que el mal llegase a su madurez, y que Satanás desarrollase más completamente sus principios, a fin de que todos los seres creados reconociesen el verdadero carácter de los cargos que arrojara él contra el gobierno divino y a fin de que quedaran para siempre incontrovertibles la justicia y la misericordia de Dios, así como el carácter inmutable de su ley.

La rebeldía de Satanás, cual testimonio perpetuo de la naturaleza y de los resultados terribles del pecado, debía servir de lección al universo en todo el curso de las edades futuras. La obra del gobierno de Satanás, sus efectos sobre los hombres y los ángeles, harían patentes los resultados del desprecio de la autoridad divina. Demostrarían que de la existencia del gobierno de Dios y de su ley depende el bienestar de todas las criaturas que él ha formado. De este modo la historia del terrible experimento de la rebeldía, sería para todos los seres santos una salvaguardia eterna destinada a precaverlos contra todo engaño respecto a la índole de la transgresión, y a guardarlos de cometer pecado y de sufrir el castigo consiguiente.

El gran usurpador siguió justificándose hasta el fin mismo de la controversia en el cielo. Cuando se dio a saber que, con todos sus secuaces, iba a ser expulsado de las moradas de la dicha, el jefe rebelde declaró audazmente su desprecio de la ley del Creador. Reiteró su aserto de que los ángeles no necesitaban sujeción, sino que debía dejárseles seguir su propia voluntad, que los dirigiría siempre bien. Denunció los estatutos divinos como restricción de su libertad y declaró que el objeto que él perseguía era asegurar la abolición de la ley para que, libres de esta traba, las huestes del cielo pudiesen alcanzar un grado de existencia más elevado y glorioso.

De común acuerdo Satanás y su hueste culparon a Cristo de su rebelión, declarando que si no hubiesen sido censurados, no se habrían rebelado. Así obstinados y arrogantes en su deslealtad, vanamente empeñados en trastornar el gobierno de Dios, al mismo tiempo que en son de blasfemia decían ser ellos mismos víctimas inocentes de un poder opresivo, el gran rebelde y todos sus secuaces fueron al fin echados del cielo.

El mismo espíritu que fomentara la rebelión en el cielo continúa inspirándola en la tierra. Satanás ha seguido con los hombres la misma política que siguiera con los ángeles. Su espíritu impera ahora en los hijos de desobediencia. Como él, tratan éstos de romper el freno de la ley de Dios, y prometen a los hombres la libertad mediante la transgresión de los preceptos de aquélla. La represión del pecado despierta aún el espíritu de odio y resistencia. Cuando los mensajeros que Dios envía para amonestar tocan a la conciencia, Satanás induce a los hombres a que se justifiquen y a que busquen la simpatía de otros en su camino de pecado. En lugar de enmendar sus errores, despiertan la indignación contra el que los reprende, como si éste fuera la única causa de la dificultad. Desde los días del justo Abel hasta los nuestros, tal ha sido el espíritu que se ha manifestado contra quienes osaron condenar el pecado.

Mediante la misma falsa representación del carácter de Dios que empleó en el cielo, para hacerle parecer severo y tiránico, Satanás indujo al hombre a pecar. Y logrado esto, declaró que las restricciones injustas de Dios habían sido causa de la caída del hombre, como lo habían sido de su propia rebeldía.

El poderoso argumento de la cruz demuestra a todo el universo que el gobierno de Dios no era de ninguna manera responsable del camino de pecado que Lucifer había escogido.

Pero el mismo Dios eterno da a conocer así su carácter: "¡Jehová, Jehová, Dios compasivo y clemente, lento en iras y grande en misericordia y en fidelidad: que usa de misericordia hasta la milésima generación; que perdona la iniquidad, la transgresión y el pecado, pero que de ningún modo tendrá por inocente al rebelde!" (Éxodo 34:6-7, V.M.).

Al echar a Satanás del cielo, Dios hizo patente su justicia y mantuvo el honor de su trono. Pero cuando el hombre pecó cediendo a las seducciones del espíritu apóstata, Dios dio una prueba de su amor, consintiendo en que su Hijo unigénito muriese por la raza caída. El carácter de Dios se pone de manifiesto en el sacrificio expiatorio de Cristo. El poderoso argumento de la cruz demuestra a todo el universo que el gobierno de Dios no era de ninguna manera responsable del camino de pecado que Lucifer había escogido.

El carácter del gran engañador se mostró tal cual era en la lucha entre Cristo y Satanás, durante el ministerio terrenal del Salvador. Nada habría podido desarraigar tan completamente las simpatías que los ángeles celestiales y todo el universo leal pudieran sentir hacia Satanás, como su guerra cruel contra el Redentor del mundo. Su petición atrevida y blasfema de que Cristo le rindiese homenaje, su orgullosa presunción que le hizo transportarlo a la cúspide del monte y a las almenas del templo, la intención malévola que mostró al instarle a que se arrojara de aquella vertiginosa altura, la inquina implacable con la cual persiguió al Salvador por todas partes, e inspiró a los corazones de los sacerdotes y del pueblo a que rechazaran su amor y a que gritaran al fin: "¡Crucifícale! ¡crucifícale!" —todo esto, despertó el asombro y la indignación del universo.

Fue Satanás el que impulsó al mundo a rechazar a Cristo. El príncipe del mal hizo cuanto pudo y empleó toda su astucia para matar a Jesús, pues vio que la misericordia y el amor del Salvador, su compasión y su tierna piedad estaban representando ante el mundo el carácter de Dios. Satanás disputó todos los asertos del Hijo de Dios, y empleó a los hombres como agentes suyos para llenar la vida del Salvador de sufrimientos y penas. Los sofismas y las mentiras por medio de los cuales procuró obstaculizar la obra de Jesús, el odio manifestado por los hijos de rebelión, sus acusaciones crueles contra Aquel cuya vida se rigió por una bondad sin precedente, todo ello provenía de un sentimiento de venganza profundamente arraigado. Los fuegos concentrados de la envidia y de la malicia, del odio y de la venganza, estallaron en el Calvario contra el Hijo de Dios, mientras el cielo miraba con silencioso horror.

Consumado ya el gran sacrificio, Cristo subió al cielo, rehusando la adoración de los ángeles, mientras no hubiese presentado la petición: "Padre, aquellos que me has dado, quiero que donde yo estoy, ellos estén también conmigo" (S. Juan 17:24). Entonces, con amor y poder indecibles, el Padre respondió desde su trono: "Adórenle todos los ángeles de Dios" (Hebreos 1:6). No había ni una mancha en Jesús. Acabada su humillación, cumplido su sacrificio, le fue dado un nombre que está por encima de todo otro nombre.

Entonces fue cuando la culpabilidad de Satanás se destacó en toda su desnudez. Había dado a conocer su verdadero carácter de mentiroso y asesino. Se echó de ver que el mismo espíritu con el cual él gobernaba a los hijos de los hombres que estaban bajo su poder, lo habría manifestado en el cielo si hubiese podido gobernar a los habitantes de éste. Había aseverado que la transgresión de la ley de Dios traería consigo libertad y ensalzamiento; pero lo que trajo en realidad fue servidumbre y degradación.

Los falsos cargos de Satanás contra el carácter del gobierno divino aparecieron en su verdadera luz. Él había acusado a Dios de buscar tan sólo su propia exaltación con las exigencias de sumisión y obediencia por parte de sus criaturas, y había declarado que mientras el Creador exigía que todos se negasen a sí mismos él mismo no practicaba la abnegación ni hacía sacrificio alguno. Entonces se vio que para salvar una raza caída y pecadora, el Legislador del universo había hecho el mayor sacrificio que el amor pudiera inspirar, pues "Dios estaba en Cristo reconciliando el mundo a sí" (2 Corintios 5:19). Vióse además que mientras Lucifer había abierto la puerta al pecado debido a su sed de honores y supremacía, Cristo, para destruir el pecado, se había humillado y hecho obediente hasta la muerte.

Dios había manifestado cuánto aborrece los principios de rebelión. Todo el cielo vio su justicia revelada, tanto en la condenación de

Satanás como en la redención del hombre. Lucifer había declarado que si la ley de Dios era inmutable y su penalidad irremisible, todo transgresor debía ser excluído para siempre de la gracia del Creador. Él había sostenido que la raza pecaminosa se encontraba fuera del alcance de la redención y era por consiguiente presa legítima suya. Pero la muerte de Cristo fue un argumento irrefutable en favor del hombre. La penalidad de la ley caía sobre él que era igual a

El Hijo de Dios atravesó los umbrales de la tumba, "para destruir por la muerte al que tenía el imperio de la muerte. . .", (Hebreos 2:14).

Dios, y el hombre quedaba libre de aceptar la justicia de Dios y de triunfar del poder de Satanás mediante una vida de arrepentimiento y humillación, como el Hijo de Dios había triunfado. Así Dios es justo, al mismo tiempo que justifica a todos los que creen en Jesús.

Pero no fue tan sólo para realizar la redención del hombre para lo que Cristo vino a la tierra a sufrir y morir. Vino para engrandecer la ley y hacerla honorable. Ni fue tan sólo para que los habitantes de este mundo respetasen la ley cual debía ser respetada, sino también para demostrar a todos los mundos del universo que la ley de Dios es inmutable. Si las exigencias de ella hubiesen podido descartarse, el Hijo de Dios no habría necesitado dar su vida para expiar la transgresión de ella. La muerte de Cristo prueba que la ley es inmutable. Y el sacrificio al cual el amor infinito impelió al Padre y al Hijo a fin de que los pecadores pudiesen ser redimidos, demuestra a todo el universo —y nada que fuese inferior a este plan habría bastado para demostrarlo— que la justicia y la misericordia son el fundamento de la ley y del gobierno de Dios.

En la ejecución final del juicio se verá que no existe causa para el pecado. Cuando el Juez de toda la tierra pregunte a Satanás: "¿Por qué te rebelaste contra mí y arrebataste súbditos de mi reino?" el autor del mal no podrá ofrecer excusa alguna. Toda boca permanecerá cerrada, todas las huestes rebeldes quedarán mudas.

Mientras la cruz del Calvario proclama el carácter inmutable de la ley, declara al universo que la paga del pecado es muerte. El grito agonizante del Salvador: "Consumado es," fue el toque de agonía para Satanás. Fue entonces cuando quedó zanjado el gran conflicto que había durado tanto tiempo y asegurada la extirpación final del mal. El Hijo de Dios atravesó los umbrales de la tumba, "para destruir por la muerte al que tenía el imperio de la muerte, es a saber, al diablo" (Hebreos 2:14). El deseo que Lucifer tenía de exaltarse a sí mismo le había hecho decir: "¡Sobre las estrellas de Dios ensalzaré mi trono,... seré semejante al Altísimo!" Dios declara: "Te torno en ceniza sobre la tierra,... y no existirás más para siempre" (Isaías 14:13-14; Ezequiel 28:18-19, V.M.). Eso será cuando venga "el día ardiente como un horno; y todos los soberbios, y todos los que hacen maldad, serán estopa; y aquel día que vendrá, los abrasará, ha dicho Jehová de los ejércitos, el cual no les dejará ni raíz ni rama" (Malaquías 4:1).

Todo el universo habrá visto la naturaleza

y los resultados del pecado. Y su destrucción completa que en un principio hubiese atemorizado a los ángeles y deshonrado a Dios, justificará entonces el amor de Dios y establecerá su gloria ante un universo de seres que se deleitarán en hacer su voluntad, y en cuyos corazones se encontrará su ley. Nunca más se manifestará el mal. La Palabra de Dios dice: "No se levantará la aflicción segunda vez" (Nahum 1:9, V.M.). La ley de Dios que Satanás vituperó como yugo de servidumbre, será honrada como ley de libertad. Después de haber pasado por tal prueba y experiencia, la creación no se desviará jamás de la sumisión a Aquel que se dio a conocer en sus obras como Dios de amor insondable y sabiduría infinita.

LAS ASECHANZAS DEL ENEMIGO

LA GRAN controversia entre Cristo y Satanás, sostenida desde hace cerca de seis mil años, está por terminar; y Satanás redobla sus esfuerzos para hacer fracasar la obra de Cristo en beneficio del hombre y para sujetar las almas en sus lazos. Su objeto consiste en tener sumido al pueblo en las tinieblas y en la impenitencia hasta que termine la obra mediadora del Salvador y no haya más sacrificio por el pecado.

Cuando no se hace ningún esfuerzo especial para resistir a su poder, cuando la indiferencia predomina en la iglesia y en el mundo, Satanás está a su gusto, pues no corre peligro de perder a los que tiene cautivos y a merced suya. Pero cuando la atención de los hombres se fija en las cosas eternas y las almas se preguntan: "¿qué debo yo hacer para ser salvo?" él está pronto para oponer su poder al de Cristo y para contrarrestar la influencia del Espíritu Santo.

Las Sagradas Escrituras declaran que en cierta ocasión, cuando los ángeles de Dios vinieron para presentarse ante el Señor, Satanás vino también con ellos (Job 1:6), no para postrarse ante el Rey eterno sino para mirar por sus propios y malévolos planes contra los justos. Con el mismo objeto está presente allí donde los hombres se reúnen para adorar a Dios. Aunque invisible, trabaja con gran diligencia, tratando de gobernar las mentes de los fieles. Como hábil general que es, fragua sus planes de antemano. Cuando ve al ministro de Dios escudriñar las Escrituras, toma nota del tema que va a ser presentado a la congregación, y hace uso de toda su astucia y pericia para arreglar las cosas de tal modo que el mensaje de vida no llegue a aquellos a quienes está engañando precisamente respecto del punto que se ha de tratar. Hará que la persona que más necesite la admonición se vea apurada por algún negocio que requiera su presencia, o impedida de algún otro modo de oír las palabras que hubiesen podido tener para ella sabor de vida para vida.

Otras veces, Satanás ve a los siervos del Señor agobiados al comprobar las tinieblas espirituales que envuelven a los hombres. Oye sus ardientes oraciones, en que piden a Dios gracia y poder para sacudir la indiferencia y la indolencia de las almas. Entonces despliega sus artes con nuevo ardor. Tienta a los hombres para que cedan a la glotonería o a cualquier otra forma de sensualidad, y adormece de tal modo su sensibilidad que dejan de oír precisamente las cosas que más necesitan saber.

> *Bien sabe Satanás que todos aquellos a quienes pueda inducir a descuidar la oración y el estudio de las Sagradas Escrituras serán vencidos por sus ataques.*

Bien sabe Satanás que todos aquellos a quienes pueda inducir a descuidar la oración y el estudio de las Sagradas Escrituras serán vencidos por sus ataques. De aquí que invente cuanta estratagema le es posible para tener las mentes distraídas. Siempre ha habido una categoría de personas que profesan santidad, y que en lugar de procurar crecer en el conocimiento de la verdad, hacen consistir su religión en buscar alguna falta en el carácter de aquellos con quienes no están de acuerdo, o algún error en su credo. Son los mejores agentes de Satanás. Los acusadores de los hermanos no son pocos; siempre son diligentes cuando Dios está obrando y cuando sus hijos

le rinden verdadero homenaje. Son ellos los que dan falsa interpretación a las palabras y acciones de los que aman la verdad y la obedecen. Hacen pasar a los más serios, celosos y desinteresados siervos de Cristo por engañados o engañadores. Su obra consiste en desnaturalizar los móviles de toda acción buena y noble, en hacer circular insinuaciones malévolas y despertar sospechas en las mentes poco experimentadas. Harán cuanto sea imaginable porque aparezca lo que es puro y recto como corrupto y de mala fe.

Pero nadie necesita dejarse engañar por ellos. Fácil es ver la filiación que tienen, el ejemplo que siguen y la obra que realizan. " Por sus frutos los conoceréis" (S. Mateo 7:16). Su conducta se parece a la de Satanás, el odioso calumniador, "el acusador de nuestros hermanos" (Apocalipsis 12:10).

El gran seductor dispone de muchos agentes listos para presentar cualquier error para engañar a las almas, herejías preparadas para adaptarse a todos los gustos y capacidades de aquellos a quienes quiere arruinar. Parte de su plan consiste en introducir en la iglesia elementos irregenerados y faltos de sinceridad, elementos que fomenten la duda y la incredulidad y sean un obstáculo para todos los que desean ver adelantar la obra de Dios y adelantar con ella. Muchas personas que no tienen verdadera fe en Dios ni en su Palabra, aceptan algún principio de verdad y pasan por cristianos; y así se hallan en condición de introducir sus errores como si fueran doctrinas de las Escrituras.

La teoría según la cual nada importa lo que los hombres creen, es uno de los engaños que más éxito da a Satanás. Bien sabe él que la verdad recibida con amor santifica el alma del que la recibe; de aquí que trate siempre de sustituirla con falsas teorías, con fábulas y con otro evangelio. Desde un principio los siervos de Dios han luchado contra los falsos maestros, no sólo porque eran hombres viciosos, sino porque inculcaban errores fatales para el alma. Elías, Jeremías y Pablo se opusieron firme y valientemente a los que estaban apartando a los hombres de la Palabra de Dios. Ese género de liberalidad que mira como cosa de poca monta una fe religiosa clara y correcta, no encontró aceptación, entre aquellos santos defensores de la verdad.

Las interpretaciones vagas y fantásticas de las Santas Escrituras, así como las muchas teorías contradictorias respecto a la fe religiosa, que se advierten en el mundo cristiano, son obra de nuestro gran adversario, que trata así de confundir las mentes de suerte que no puedan descubrir la verdad. Y la discordia y división que existen entre las iglesias de la cristiandad se deben en gran parte a la costumbre tan generalizada de torcer el sentido de las Sagradas Escrituras con el fin de apoyar alguna doctrina favorita. En lugar de estudiar con esmero y con humildad de corazón la Palabra de Dios con el objeto de llegar al conocimiento de su voluntad, muchos procuran descubrir algo curioso y original.

Con el fin de sostener doctrinas erróneas o prácticas anticristianas, hay quienes toman, pasajes de la Sagrada Escritura aislados del contexto, no citan tal vez más que la mitad de un versículo para probar su idea, y dejan la segunda mitad que quizá hubiese probado todo lo contrario. Con la astucia de la serpiente se encastillan tras declaraciones sin ilación, entretejidas de manera que favorezcan sus deseos carnales. Es así como gran número de personas pervierte con propósito deliberado la Palabra de Dios. Otros, dotados de viva imaginación, toman figuras y símbolos de las Sagradas Escrituras y los interpretan según su capricho, sin parar mientes en que la Escritura declara ser su propio intérprete; y luego presentan sus extravagancias

como enseñanzas de la Biblia.

Siempre que uno se da al estudio de las Escrituras sin estar animado de un espíritu de oración y humildad, susceptible de recibir enseñanza, los pasajes más claros y sencillos, como los más difíciles, serán desviados de su verdadero sentido. Los dirigentes papales escogen en las Sagradas Escrituras los pasajes que mejor convienen a sus propósitos, los interpretan a su modo y los presentan luego al pueblo a quien rehusan al mismo tiempo el privilegio de estudiar la Biblia y de entender por sí mismos sus santas verdades. Toda la Biblia debería serle dada al pueblo tal cual es. Más valiera que éste no tuviese ninguna instrucción religiosa antes que recibir las enseñanzas de las Santas Escrituras groseramente desnaturalizadas.

La Biblia estaba destinada a ser una guía para todos aquellos que deseasen conocer la voluntad de su Creador. Dios dio a los hombres la firme palabra profética; ángeles, y hasta el mismo Cristo, vinieron para dar a conocer a Daniel y a Juan las cosas que deben acontecer en breve. Las cosas importantes que conciernen a nuestra salvación no quedaron envueltas en el misterio. No fueron reveladas de manera que confundan y extravíen al que busca sinceramente la verdad. El Señor dijo al profeta Habacuc: "Escribe la visión para que se pueda leer corrientemente" (Habacuc 2:2, V.M.). La Palabra de Dios es clara para todos aquellos que la estudian con espíritu de oración. Toda alma verdaderamente sincera alcanzará la luz de la verdad. "Luz está sembrada para el justo" (Salmo 97:11). Y ninguna iglesia puede progresar en santidad si sus miembros no buscan ardientemente la verdad como si fuera un tesoro escondido.

Los alardes de "liberalidad" ciegan a los hombres para que no vean las asechanzas de su adversario, mientras que éste sigue trabajando sin cesar y sin cansarse hasta cumplir sus designios. Conforme va consiguiendo suplantar la Biblia por las especulaciones humanas, la ley de Dios va quedando a un lado, y las iglesias caen en la esclavitud del pecado, mientras pretenden ser libres.

Para muchos, las investigaciones científicas se han vuelto maldición. Al permitir todo género de descubrimientos en las ciencias y en las artes, Dios ha derramado sobre el mundo raudales de luz; pero aun los espíritus más poderosos, si no son guiados en sus investigaciones por la Palabra de Dios, se extravían en sus esfuerzos por encontrar las relaciones existentes entre la ciencia y la revelación.

Los conocimientos humanos, tanto en lo que se refiere a las cosas materiales como a las espirituales, son limitados e imperfectos; de aquí que muchos sean incapaces de hacer armonizar sus nociones científicas con las declaraciones de las Sagradas Escrituras. Son muchos los que dan por hechos científicos lo que no pasa de ser meras teorías y elucubraciones, y piensan que la Palabra de Dios debe ser probada por las enseñanzas de "la falsamente llamada ciencia" (1 Timoteo 6:20). El Creador y sus obras les resultan incomprensibles; y como no pueden explicarlos por las leyes naturales, consideran la historia bíblica como si no mereciese fe. Los que dudan de la verdad de las narraciones del Antiguo Testamento y del Nuevo, dan a menudo un paso más y dudan de la existencia de Dios y atribuyen poder infinito a la naturaleza. Habiendo perdido su ancla son arrastrados hacia las rocas de la incredulidad.

Es así como muchos se alejan de la fe y son seducidos por el diablo. Los hombres procuraron hacerse más sabios que su Creador; la filosofía intentó sondear y explicar misterios que no serán jamás revelados en el curso infinito de las edades. Si los hombres se limitasen a escudriñar y comprender tan sólo lo que Dios les ha revelado respecto de sí mismo y de sus propósitos, llegarían a tal concepto de la gloria, majestad y poder de Jehová, que se darían cuenta de su propia pequeñez y se contentarían con lo que fue revelado para ellos y sus hijos.

Una de las seducciones magistrales de Satanás consiste en mantener a los espíritus de los hombres investigando y haciendo conjeturas sobre las cosas que Dios no ha dado a conocer y que no quiere que entendamos. Así fue como Lucifer perdió su puesto en el cielo. Se indispuso porque no le fueron revelados todos los secretos de los designios de Dios, y no se fijó en lo que le había sido revelado respecto a su propia obra y al elevado puesto que le había sido asignado. Al provocar el mismo descontento entre los ángeles que estaban bajo sus órdenes, causó la caída de ellos. En nuestros días trata de llenar las mentes de los hombres con el mismo espíritu y de inducirlos además a despreciar los mandamientos directos de Dios.

Los que no quieren aceptar las verdades claras y contundentes de la Biblia están siempre buscando fábulas agradables que tranquilicen la conciencia. Mientras menos apelen a la espiritualidad, a la abnegación y a la humildad las doctrinas presentadas, mayor es la aceptación de que gozan. Esas personas degradan sus facultades intelectuales para servir sus deseos carnales. Demasiado sabias en su propia opinión para escudriñar las Santas Escrituras con contrición y pidiendo ardientemente a Dios que las guíe, no tienen escudo contra el error. Satanás está listo para satisfacer los deseos de sus corazones y poner las seducciones en lugar de la verdad. Fue así como el papado estableció su poder sobre los hombres; y al rechazar la verdad porque entraña una cruz, los protestantes siguen el mismo camino. Todos aquellos que descuiden la Palabra de Dios para procurar su comodidad y conveniencia, a fin de no estar en desacuerdo con el mundo, serán abandonados a su propia suerte y aceptarán herejías condenables que considerarán como verdad religiosa. Los que rechacen voluntariamente la verdad concluirán por aceptar todos los errores imaginables; y alguno que mire con horror cierto engaño

---

Entre las trampas más temibles del gran seductor figuran las enseñanzas engañosas y los fementidos milagros del espiritismo. Disfrazado como ángel de luz, el enemigo tiende sus redes donde menos se espera.

---

aceptará gustosamente otro. El apóstol Pablo, hablando de una clase de hombres que "no admitieron el amor de la verdad, para que fuesen salvos," declara: "Por esto, Dios les envía la eficaz operación de error, a fin de que crean a la mentira; para que sean condenados todos aquellos que no creen a la verdad, sino que se complacen en la injusticia" (2 Tesalonicenses 2:10-12, V.M.). En vista de semejante advertencia nos incumbe ponernos en guardia con respecto a las doctrinas que recibimos.

Entre las trampas más temibles del gran seductor figuran las enseñanzas engañosas y los fementidos milagros del espiritismo. Disfrazado como ángel de luz, el enemigo tiende sus redes donde menos se espera. Si tan sólo los hombres quisieran estudiar el Libro de Dios orando fervientemente por comprenderlo, no serían dejados en las tinieblas para recibir doctrinas

falsas. Pero como rechazan la verdad, resultan presa fácil para la seducción.

Otro error peligroso es el de la doctrina que niega la divinidad de Cristo, y asevera que él no existió antes de su venida a este mundo. Esta teoría encuentra aceptación entre muchos que profesan creer en la Biblia; y sin embargo contradice las declaraciones más positivas de nuestro Salvador respecto a sus relaciones con el Padre, a su divino carácter y a su preexistencia. Esta teoría no puede ser sostenida sino violentando el sentido de las Sagradas Escrituras del modo más incalificable. No sólo rebaja nuestro concepto de la obra de redención, sino que también socava la fe en la Biblia como revelación de Dios. Al par que esto hace tanto más peligrosa dicha teoría la hace también más difícil de combatir. Si los hombres rechazan el testimonio que dan las Escrituras inspiradas acerca de la divinidad de Cristo, inútil es querer argumentar con ellos al respecto, pues ningún argumento, por convincente que fuese, podría hacer mella en ellos, "El hombre natural no recibe las cosas del Espíritu de Dios; porque le son insensatez; ni las puede conocer, por cuánto se disciernen espiritualmente" (1 Corintios 2:14, V.M.). Ninguna persona que haya aceptado este error, puede tener un justo concepto del carácter o de la misión de Cristo, ni del gran plan de Dios para la redención del hombre.

Otro error sutil y perjudicial que se está difundiendo rápidamente, consiste en creer que Satanás no es un ser personal; que su nombre se emplea en las Sagradas Escrituras únicamente para representar los malos pensamientos y deseos de los hombres.

La enseñanza tan generalmente proclamada desde los púlpitos, de que el segundo advenimiento de Cristo se realiza a la muerte de cada individuo, es una estratagema que tiene por objeto distraer la atención de los hombres de la venida personal del Señor en las nubes del cielo.

Hace años que Satanás ha estado diciendo: "He aquí … está… en las cámaras" (S. Mateo 24:23-26), y muchas almas se han perdido por haber aceptado este engaño.

Por otra parte la sabiduría mundana enseña que la oración no es de todo punto necesaria. Los hombres de ciencia declaran que no puede haber respuesta real a las oraciones; que esto equivaldría a una violación de las leyes naturales, a todo un milagro, y que los milagros no existen. Dicen que el universo está gobernado por leyes inmutables y que Dios mismo no hace nada contrario a esas leyes. De suerte que representan a Dios ligado por sus propias leyes; como si la operación de las leyes divinas excluyese la libertad divina. Tal enseñanza se opone al testimonio de las Sagradas Escrituras. ¿Acaso Cristo y sus apóstoles no hicieron milagros? El mismo Salvador compasivo vive en nuestros días, y está tan dispuesto a escuchar la oración de la fe como cuando andaba en forma visible entre los hombres. Lo natural coopera con lo sobrenatural. Forma parte del plan de Dios concedernos, en respuesta a la oración hecha con fe, lo que no nos daría si no se lo pidiésemos así.

Innumerables son las doctrinas erróneas y las ideas fantásticas que imperan en el seno de las iglesias de la cristiandad. Es imposible calcular los resultados deplorables que acarrea la eliminación de una sola verdad de la Palabra de Dios. Pocos son los que, habiéndose aventurado a hacer cosa semejante, se contentan con rechazar lisa y llanamente una sencilla verdad. Los más siguen rechazando uno tras otro los principios de la verdad, hasta que se convierten en verdaderos incrédulos.

Los errores de la teología hoy de moda han lanzado al escepticismo a muchas almas que de otro modo habrían creído en las Escrituras. Es imposible para ellas aceptar doctrinas que hieren sus sentimientos de justicia misericordia y benevolencia; y como tales doctrinas les son presentadas como enseñadas por la Biblia, rehusan recibirla como Palabra de Dios.

Y ése es el objeto que Satanás trata de conseguir. Nada desea él tanto como destruir la confianza en Dios y en su Palabra. Satanás se encuentra al frente de los grandes ejércitos de los que dudan, y trabaja con inconcebible energía para seducir a las almas y atraerlas a sus filas. La duda está de moda hoy. Una clase muy numerosa de personas mira la Palabra de Dios con la misma desconfianza con que fue mirado su Autor: porque ella reprueba y condena el pecado. Los que no desean obedecer a las exigencias de ella tratan de echar por tierra su autoridad. Si leen la Biblia o escuchan sus enseñanzas proclamadas desde el púlpito es tan sólo para encontrar errores en las Santas Escrituras o en el sermón. No son pocos los que se vuelven incrédulos para justificarse o para disculpar su descuido del deber. Otros adoptan principios escépticos por orgullo e indolencia. Por demás amigos de su comodidad para distinguirse ejecutando cosa alguna digna de honor y que exija esfuerzos y abnegación, aspiran a hacerse una reputación de sabiduría superior criticando la Biblia. Hay muchas cosas que el espíritu limitado del hombre que no ha sido alumbrado por la sabiduría divina, es incapaz de comprender; y así encuentran motivo para criticar. Son muchos los que parecen creer que es una virtud colocarse del lado de la duda, del escepticismo y de la incredulidad. Pero no dejará de advertirse que bajo una apariencia de candor y humildad, los móviles de estas personas son la confianza en sí mismas y el orgullo. Muchos se deleitan en buscar en las Sagradas Escrituras algo que confunda las mentes de los demás. Y hasta hay quienes empiezan a criticar y a argumentar contra la verdad por el mero gusto de discutir. No se dan cuenta de que al obrar así se están enredando a sí mismos en el lazo del cazador. Efectivamente, habiendo expresado

abiertamente sentimientos de incredulidad, consideran que deben conservar sus posiciones. Y así es como se unen con los impíos y se cierran las puertas del paraíso.

Dios ha dado en su Palabra pruebas suficientes del divino origen de ella. Las grandes verdades que se relacionan con nuestra redención están presentadas en ella con claridad. Con la ayuda del Espíritu Santo que se promete a todos los que lo pidan con sinceridad, cada cual puede comprender estas verdades por sí mismo. Dios ha dado a los hombres un fundamento firme en que cimentar su fe.

Con todo, la inteligencia limitada de los hombres resulta inadecuada para comprender los planes del Dios infinito. Nuestras investigaciones no nos harán descubrir jamás las profundidades de Dios. No debemos intentar con mano presuntuosa levantar el velo que encubre su majestad. El apóstol exclama: "¡Cuán incomprensibles son sus juicios, e inescrutables sus caminos!" (Romanos 11:33). No obstante podemos comprender lo bastante su modo de tratar con nosotros y los motivos que le hacen obrar como obra, para reconocer un amor y una misericordia infinitos unidos a un poder sin límites. Nuestro Padre celestial dirige todas las cosas con sabiduría y justicia, y no debemos vivir descontentos ni desconfiados, sino inclinarnos en reverente sumisión. Él nos revelará sus designios en la medida en que su conocimiento sea para nuestro bien, y en cuanto a lo demás debemos confiar en Aquel cuya mano es omnipotente y cuyo corazón rebosa de amor.

Si bien es cierto que Dios ha dado pruebas evidentes para la fe, él no quitará jamás todas las excusas que pueda haber para la incredulidad. Todos los que buscan motivos de duda los encontrarán. Y todos los que rehusan, aceptar la Palabra de Dios y obedecerla antes que toda objeción haya sido apartada y que no se encuentre más motivo de duda, no llegarán jamás a la luz.

La desconfianza hacia Dios es producto natural del corazón irregenerado, que está en enemistad con él. Pero la fe es inspirada por el Espíritu Santo y no florecerá más que a medida que se la fomente. Nadie puede robustecer su fe sin un esfuerzo determinado. La incredulidad también se robustece a medida que se la estimula; y si los hombres, en lugar de meditar en las evidencias que Dios les ha dado para sostener su fe, se permiten ponerlo todo en tela de juicio y entregarse a cavilaciones, verán confirmarse más y más sus dudas.

Pero los que dudan de las promesas de Dios y desconfían de las seguridades de su gracia, le deshonran; y su influencia, en lugar de atraer a otros hacia Cristo, tiende a apartarlos de él; son como los árboles estériles que extienden a lo lejos sus tupidas ramas, las cuales privan de la luz del sol a otras plantas y hacen que éstas languidezcan y mueran bajo la fría sombra. La carrera de esas personas resultará como un acto continuo de acusación contra ellas. Las semillas de duda y escepticismo que están propagando producirán infaliblemente su cosecha.

No hay más que una línea de conducta que puedan seguir los que desean sinceramente librarse de las dudas. En lugar de ponerlo todo en tela de juicio y de entregarse a cavilaciones acerca de cosas que no entienden, presten atención a la luz que ya está brillando en ellos y recibirán aún más luz. Cumplan todo deber que su inteligencia ha entendido y así se pondrán en condición de comprender y realizar también los deberes respecto a los cuales les quedan dudas.

Satanás puede presentar una impostura tan parecida a la verdad, que engañe a todos los que están dispuestos, a ser engañados y que retroceden ante la abnegación y los sacrificios reclamados por la verdad; pero no puede de ningún modo retener en su poder una sola alma que desee sinceramente y a todo trance conocer la verdad. Cristo es la verdad y "la luz verdadera, que alumbra a todo hombre que viene a este mundo" (S. Juan 1:9). El espíritu de verdad ha sido enviado para guiar a los hombres en toda verdad. Y la siguiente declaración ha sido hecha bajo la autoridad del Hijo de Dios: "Buscad, y hallaréis". "El que quisiere hacer su voluntad [del Padre], conocerá de la doctrina" (S. Mateo 7:7-8. Juan 7:17).

Los discípulos de Cristo saben muy poco de las tramas que Satanás y sus huestes urden contra ellos. Pero el que está sentado, en los cielos hará servir todas esas maquinaciones para el cumplimiento de sus altos designios. Si el Señor permite que su pueblo pase por el fuego de la tentación, no es porque se goce en sus penas y aflicciones, sino porque esas pruebas son necesarias para su victoria final. Él no podría, en conformidad con su propia gloria, preservarlo de la tentación; pues el objeto de la prueba es precisamente prepararlo para resistir a todas las seducciones del mal.

Ni los impíos ni los demonios pueden oponerse a la obra de Dios o privar de su presencia a su pueblo, siempre que éste quiera con corazón sumiso y contrito confesar y abandonar sus pecados y aferrarse con fe a las promesas divinas. Toda tentación, toda influencia contraria manifiesta o secreta, ya puede ser resistida victoriosamente: ¡No por esfuerzo, ni con poder, sino por mi Espíritu! dice Jehová de los Ejércitos" (Zacarías 4:6, V.M.).

"Los ojos del Señor están sobre los justos, y sus oídos atentos a sus oraciones... ¿Y quién es aquel que os podrá dañar, si vosotros seguís el bien?" (1 Pedro 3:12-13). Cuando Balaam, tentado por la promesa de ricos regalos, recurrió a encantamientos contra Israel, y quiso por medio de sacrificios ofrecidos al Señor, invocar una maldición sobre su pueblo, el Espíritu de Dios se opuso a la maldición que el profeta apóstata trataba de pronunciar y éste se vio obligado a exclamar: "¿Cómo maldeciré a quien

no ha maldecido Dios? ¿y cómo derramaré imprecaciones donde no las ha derramado Jehová?" "¡Muera yo de la muerte de los justos, y sea mi postrimería como la suya!" Después de haber ofrecido otro sacrificio, el profeta impío dijo: "He aquí que yo he recibido comisión para bendecir; si, él ha bendecido, y no podré yo revocarlo. El no ha reparado la iniquidad en Jacob, y no ha mirado la perversidad en Israel.

Si el Señor permite que su pueblo pase por el fuego de la tentación, no es porque se goce en sus penas y aflicciones, sino porque esas pruebas son necesarias para su victoria final.

Jehová su Dios está con él; y en medio de él suenan vítores de rey". "Que no hay hechizo contra Jacob, ni hay adivinación contra Israel. A su tiempo será dicho de Jacob y de Israel: ¡Mirad lo que ha hecho Dios!" No obstante se levantaron altares por tercera vez, y Balaam volvió a hacer un nuevo esfuerzo para maldecir a Israel. Pero, por los labios rebeldes del profeta, el Espíritu de Dios anunció la prosperidad de su pueblo escogido y censuró la locura y maldad de sus enemigos: "¡Sean benditos los que te bendicen, y malditos los que te maldicen!" (Números 23:8, 10, 20, 21, 23; 24:9, V.M.).

En aquel tiempo el pueblo de Israel era fiel a Dios; y mientras siguiera obedeciendo a su ley, ningún poder de la tierra o del infierno había de prevalecer contra él. Pero la maldición que no se le permitió a Balaam pronunciar contra el pueblo de Dios, él al fin consiguió atraerla sobre dicho pueblo arrastrándolo al pecado. Al quebrantar Israel los mandamientos de Dios, se separó de él y fue abandonado al poder del destructor.

Satanás sabe muy bien que el alma más débil pero que permanece en Jesús puede más que todas las huestes de las tinieblas, y que si se presentase abiertamente se le haría frente y se le resistiría. Por esto trata de atraer a los soldados de la cruz fuera de su baluarte, mientras que él mismo permanece con sus fuerzas en emboscada, listo para destruir a todos aquellos que se aventuren a entrar en su territorio. Sólo podemos estar seguros cuando confiamos humildemente en Dios, y obedecemos todos sus mandamientos.

Nadie que no ore puede estar seguro un solo día o una sola hora. Debemos sobre todo pedir al Señor que nos dé sabiduría para comprender su Palabra. En ella es donde están puestos de manifiesto los artificios del tentador y las armas que se le pueden oponer con éxito. Satanás es muy hábil para citar las Santas Escrituras e interpretar pasajes a su modo, con lo que espera hacernos tropezar. Debemos estudiar la Biblia con humildad de corazón, sin perder jamás de vista nuestra dependencia de Dios. Y mientras estemos en guardia contra los engaños de Satanás debemos orar con fe diciendo: "No nos dejes caer en tentación".

EL MISTERIO DE LA INMORTALIDAD

DESDE los tiempos más remotos de la historia del hombre, Satanás se esforzó por engañar a nuestra raza. El que había promovido la rebelión en el cielo deseaba inducir a los habitantes de la tierra a que se uniesen con él en su lucha contra el gobierno de Dios. Adán y Eva habían sido perfectamente felices mientras obedecieron a la ley de Dios, y esto constituía un testimonio permanente contra el aserto que Satanás había hecho en el cielo, de que la ley de Dios era un instrumento de opresión y contraria al bien de sus criaturas. Además, la envidia de Satanás se despertó al ver la hermosísima morada preparada para la inocente pareja. Resolvió hacer caer a ésta para que, una vez separada de Dios y arrastrada bajo su propio poder, pudiese él apoderarse de la tierra y establecer allí su reino en oposición al Altísimo.

Si Satanás se hubiese presentado en su verdadero carácter, habría sido rechazado en el acto, pues Adán y Eva habían sido prevenidos contra este enemigo peligroso; pero Satanás trabajó en la oscuridad, encubriendo su propósito a fin de poder realizar mejor sus fines. Valiéndose de la serpiente, que era entonces un ser de fascinadora apariencia, se dirigió a Eva, diciéndole: "¿Conque Dios os ha dicho: no comáis de todo árbol del huerto?" (Génesis 3:1). Si Eva hubiese rehusado entrar en discusión con el tentador, se habría salvado; pero ella se aventuró a alegar con él y entonces fue víctima de sus artificios. Así es como muchas personas son aún vencidas. Dudan y discuten respecto a la voluntad de Dios, y en lugar de obedecer sus mandamientos, aceptan teorías humanas que no sirven más que para encubrir los engaños de Satanás.

"Y respondió la mujer a la serpiente: Del fruto de los árboles del jardín bien podemos comer: mas del fruto del árbol que está en medio del jardín, ha dicho Dios: No comeréis de él, ni lo tocaréis, no sea que muráis. Entonces dijo la serpiente a la mujer: De seguro que no moriréis; antes bien, sabe Dios que en el día que comiereis de él, vuestros ojos serán abiertos, y seréis como Dios, conocedores del bien y del mal" (Vers. 2-

5, V.M.). La serpiente declaró que se volverían como Dios, que tendrían más sabiduría que antes y que serían capaces de entrar en un estado superior de existencia. Eva cedió a la tentación, y por influjo suyo Adán fue inducido a pecar. Ambos aceptaron la declaración de la serpiente de que Dios no había querido decir lo que había dicho; desconfiaron de su Creador y se imaginaron que les estaba cortando la libertad y que podían ganar gran caudal de sabiduría y mayor elevación quebrantando su ley.

Pero ¿cómo comprendió Adán, después de su pecado, el sentido de las siguientes palabras: "En el día que comieres de él de seguro morirás"? ¿Comprendió que significaban lo que Satanás le había inducido a creer, que iba a ascender a un grado más alto de existencia? De haber sido así, habría salido ganando con la transgresión, y Satanás habría resultado en bienhechor de la raza. Pero Adán comprobó que no era tal el sentido de la declaración divina. Dios sentenció al hombre, en castigo por su pecado, a volver a la tierra de donde había sido tomado: "Polvo eres, y al polvo serás tornado" (Vers. 19). Las palabras de Satanás: "Vuestros ojos serán abiertos" resultaron ser verdad pero sólo del modo siguiente: después de que Adán y Eva hubieron desobedecido a Dios, sus ojos fueron abiertos y pudieron discernir su locura; conocieron entonces lo que era el mal y probaron el amargo fruto de la transgresión.

En medio del Edén crecía el árbol de la vida, cuyo fruto tenía el poder de perpetuar la vida. Si Adán hubiese permanecido obediente a Dios, habría seguido gozando de libre acceso a aquel árbol y habría vivido eternamente. Pero en cuanto hubo pecado, quedó privado de comer del árbol de la vida y sujeto a la muerte. La sentencia divina: "Polvo eres, y al polvo serás tornado," entraña la extinción completa de la vida.

La inmortalidad prometida al hombre a condición de que obedeciera, se había perdido por la transgresión. Adán no podía transmitir a su posteridad lo que ya no poseía; y no habría quedado esperanza para la raza caída, si Dios, por el sacrificio de su Hijo, no hubiese puesto la inmortalidad a su alcance. Como "la muerte así pasó a todos los hombres, pues que todos pecaron," Cristo "sacó a la luz la vida y la inmortalidad por el evangelio" (Romanos 5:12; 2 Timoteo 1:10). Y sólo por Cristo puede obtenerse la inmortalidad. Jesús dijo: "El que cree en el Hijo, tiene vida eterna, más el que es incrédulo al Hijo, no verá la vida" (S. Juan 3:36). Todo hombre puede adquirir un bien tan inestimable si consiente en someterse a las condiciones necesarias. Todos "los que perseverando en bien hacer, buscan gloria y honra e inmortalidad," recibirán "la vida eterna" (Romanos 2:7).

El único que prometió a Adán la vida en la desobediencia fue el gran seductor. Y la declaración de la serpiente a Eva en Edén. —"De seguro que no moriréis"— fue el primer sermón que haya sido jamás predicado sobre la inmortalidad del alma. Y sin embargo esta misma declaración, fundada únicamente en la autoridad de Satanás, repercute desde los púlpitos de la cristiandad, y es recibida por la mayoría de los hombres con tanta prontitud como lo fue por nuestros primeros padres. A la divina sentencia: "El alma que pecare, ésa morirá" (Ezequiel 18:20), se le da el sentido siguiente: El alma que pecare, ésa no morirá, sino que vivirá eternamente. No puede uno menos que extrañar la rara infatuación con que los hombres creen sin más ni más las palabras de Satanás y se muestran tan incrédulos a las palabras de Dios.

Si al hombre, después de su caída, se le hubiese permitido tener libre acceso al árbol de la vida, habría vivido para siempre, y así el pecado se habría inmortalizado. Pero un querubín y una espada que arroja llamas guardaban "el camino del árbol de la vida" (Génesis 3:24), y a ningún miembro de la familia de Adán le ha sido permitido salvar esta raya y participar de esa fruta de la vida. Por consiguiente no hay ni un solo pecador inmortal.

Pero después de la caída, Satanás ordenó a sus ángeles que hicieran un esfuerzo especial para inculcar la creencia de la inmortalidad natural del hombre; y después de haber inducido a la gente a aceptar este error, debían llevarla a la conclusión de que el pecador viviría en penas eternas. Ahora el príncipe de las tinieblas, obrando por conducto de sus agentes, representa a Dios como un tirano vengativo, y declara que arroja al infierno a todos aquellos que no le agradan, que les hace sentir eternamente los efectos de su ira, y que mientras ellos sufren tormentos indecibles y se retuercen en las llamas eternas, su Creador los mira satisfecho.

> *El gran seductor se esfuerza en atribuir su propia crueldad a nuestro Padre celestial, a fin de darse por muy perjudicado con su expulsión del cielo por no haber querido someterse a un soberano tan injusto.*

Así es como el gran enemigo reviste con sus propios atributos al Creador y Bienhechor de la humanidad. La crueldad es satánica. Dios es amor, y todo lo que él creó era puro, santo, y amable, hasta que el pecado fue introducido por

el primer gran rebelde. Satanás mismo es el enemigo que tienta al hombre y lo destruye luego si puede; y cuando se ha adueñado de su víctima se alaba de la ruina que ha causado. Si ello le fuese permitido prendería a toda la raza humana en sus redes. Si no fuese por la intervención del poder divino, ni hijo ni hija de Adán escaparían.

Hoy día Satanás está tratando de vencer a los hombres, como venció a nuestros primeros padres, debilitando su confianza en el Creador e induciéndoles a dudar de la sabiduría de su gobierno y de la justicia de sus leyes. Satanás y sus emisarios representan a Dios como peor que ellos, para justificar su propia perversidad y su rebeldía. El gran seductor se esfuerza en atribuir su propia crueldad a nuestro Padre celestial, a fin de darse por muy perjudicado con su expulsión del cielo por no haber querido someterse a un soberano tan injusto. Presenta al mundo la libertad de que gozaría bajo su dulce cetro, en contraposición con la esclavitud impuesta por los severos decretos de Jehová. Es así como logra sustraer a las almas de la sumisión a Dios.

¡Cuán repugnante a todo sentimiento de amor y de misericordia y hasta a nuestro sentido de justicia es la doctrina según la cual después de muertos los impíos son atormentados con fuego y azufre en un infierno que arde eternamente, y por los pecados de una corta vida terrenal deben sufrir tormentos por tanto tiempo como Dios viva! Sin embargo, esta doctrina ha sido enseñada muy generalmente y se encuentra aún incorporada en muchos de los credos de la cristiandad. Un sabio teólogo sostuvo: "El espectáculo de los tormentos del infierno aumentará para siempre la dicha de los santos. Cuando vean a otros seres de la misma naturaleza que ellos y que nacieron en las mismas circunstancias, cuando los vean sumidos en semejante desdicha, mientras que ellos estén en tan diferente situación, sentirán en mayor grado el goce de su felicidad". Otro dijo lo siguiente: "Mientras que la sentencia de reprobación se esté llevando a efecto por toda la eternidad sobre los desgraciados que sean objeto de la ira, el humo de sus tormentos subirá eternamente también a la vista de los que sean objeto de misericordia, y que, en lugar de compadecerse de aquéllos, exclamarán: ¡Amén! ¡Aleluya! ¡Alabad al Señor!"

¿En qué página de la Palabra de Dios se puede encontrar semejante enseñanza? ¿Los rescatados no sentirán acaso en el cielo ninguna compasión y ni siquiera un leve asomo de humanidad? ¿Habrán quedado esos sentimientos por ventura sustituídos por la indiferencia del estoico o la crueldad del salvaje? -No, mil veces no. No es ésa la enseñanza del Libro de Dios. Los que presentan opiniones como las expresadas en las citas anteriores pueden ser sabios y aun hombres honrados; pero han sido engañados por los sofismas de Satanás. Él es quien los induce a desnaturalizar las enérgicas expresiones de las Sagradas Escrituras, dando al lenguaje bíblico un tinte de amargura y malignidad que es propio de él, Satanás, pero no de nuestro Creador. "¡Vivo yo! dice Jehová el Señor, que no me complazco en la muerte del inicuo, sino antes en que vuelva el inicuo de su camino y viva. Volveos, volveos de vuestros caminos malos, pues ¿por qué moriréis? " (Ezequiel 33:11, V.M.).

¿Qué ganaría Dios con que creyéramos que él se goza en contemplar los tormentos eternos, que se deleita en oír los gemidos, los gritos de dolor y las imprecaciones de las criaturas a quienes mantiene sufriendo en las llamas del infierno? ¿Pueden acaso esas horrendas disonancias ser música para los oídos de Aquel que es amor infinito? Se alega que esas penas sin fin que sufren los malos demuestran el odio de Dios hacia el pecado, ese mal tan funesto a la paz y al orden del universo. ¡Oh, qué horrible blasfemia! ¡Como si el odio que Dios tiene al pecado fuese motivo para eternizar el pecado! Pues según las enseñanzas de esos mismos teólogos, los tormentos continuos y sin esperanza de misericordia enfurecen sus miserables víctimas, que al manifestar su ira con juramentos y blasfemias, aumentan continuamente el peso de su culpabilidad. La gloria de Dios no obtiene realce con que se perpetúe el pecado al través de los siglos sin fin.

Es incalculable para el espíritu humano el daño que ha producido la herejía de los tormentos eternos. La religión de la Biblia, llena de amor y de bondad, y que abunda en compasión, resulta empañada por la superstición y revestida de terror. Cuando consideramos con cuán falsos colores Satanás pintó el carácter de Dios, ¿podemos admirarnos de que se tema, y hasta se aborrezca a nuestro Creador misericordioso ? Las ideas espantosas que respecto de Dios han sido propagadas por el mundo desde el púlpito, han hecho miles y hasta millones de escépticos e incrédulos.

La teoría de las penas eternas es una de las falsas doctrinas que constituyen el vino de las abominaciones de Babilonia, del cual ella da de beber a todas las naciones (Apocalipsis 14:8; 17:2). Es verdaderamente inexplicable que los ministros de Cristo hayan aceptado esta herejía y la hayan proclamado desde el púlpito. La recibieron de Roma, como de Roma también recibieron el falso día de reposo. Es cierto que dicha herejía ha sido enseñada por hombres piadosos y eminentes, pero la luz sobre este asunto no les había sido dada como a nosotros. Eran responsables tan sólo por la luz que brillaba en su tiempo; nosotros tenemos que responder por la que brilla en nuestros días. Si nos alejamos del testimonio de la Palabra de Dios y aceptamos falsas doctrinas porque nuestros padres las enseñaron, caemos bajo la condenación pronunciada contra Babilonia; estamos bebiendo del vino de sus abominaciones.

Muchos a quienes subleva la doctrina de los tormentos eternos se lanzan al error opuesto. Ven que las Santas Escrituras representan a Dios como un ser lleno de amor y compasión, y no pueden creer que haya de entregar sus criaturas a las llamas de un infierno eterno. Pero, como creen que el alma es de por sí inmortal, no ven otra alternativa que sacar la conclusión de que toda la humanidad será finalmente salvada. Muchos son los que consideran las amenazas de la Biblia como destinadas tan sólo a amedrentar a los hombres para que obedezcan y no como debiendo cumplirse literalmente. Así el pecador puede vivir en placeres egoístas, sin prestar atención alguna a lo que Dios exige de él, y esperar sin embargo que será recibido finalmente en su gracia. Semejante doctrina que así especula con la misericordia divina, pero ignora su justicia, agrada al corazón carnal y alienta a los malos en su iniquidad.

Para muestra de cómo los que creen en la salvación universal tuercen el sentido de las Escrituras para sostener sus dogmas deletéreos para las almas, basta citar sus propias declaraciones. En los funerales de un joven irreligioso, muerto instantáneamente en una desgracia, un ministro universalista escogió por texto de su discurso las siguientes palabras que se refieren a David: "Ya estaba consolado acerca de Amnón que era muerto" (2 Samuel 13:39).

"A menudo me preguntan —dijo el orador— cuál será la suerte de los que mueren en el pecado, tal vez en estado de embriaguez, o que mueren sin haber lavado sus vestiduras de las manchas ensangrentadas del crimen, o como este joven, sin haber hecho profesión religiosa ni tenido experiencia alguna en asuntos de religión. Nos contentamos con citar las Sagradas Escrituras; la contestación que nos dan al respecto ha de resolver tan tremendo problema. Amnón era pecador en extremo; era impenitente, se embriagó y fue muerto en ese estado. David

era profeta de Dios; debía saber si Amnón se encontraba bien o mal en el otro mundo. ¿Cuáles fueron las expresiones de su corazón? —'El rey David deseó ver a Absalom: porque estaba consolado acerca de Amnón que era muerto'.

> *Muchos a quienes subleva la doctrina de los tormentos eternos se lanzan al error opuesto. Ven que las Santas Escrituras representan a Dios como un ser lleno de amor y compasión, y no pueden creer que haya de entregar sus criaturas a las llamas de un infierno eterno.*

"¿Y qué debemos deducir de estas palabras? ¿No es acaso que los sufrimientos sin fin no formaban parte de su creencia religiosa? —Así lo entendemos nosotros; y aquí encontramos un argumento triunfante en apoyo de la hipótesis más agradable, más luminosa y más benévola de la pureza y de la paz finales y universales. Se había consolado de la muerte de su hijo. ¿Y por qué?— Porque podía con su ojo de profeta echar una mirada hacia el glorioso estado, ver a su hijo muy alejado de todas las tentaciones, libertado y purificado de la esclavitud y corrupciones del pecado, y, después de haber sido suficientemente santificado e iluminado, admitido a la asamblea de espíritus superiores y dichosos. Su solo consuelo consistía en que su hijo amado al ser recogido del presente estado de pecado y padecimiento, había ido adonde el soplo sublime del Espíritu Santo sería derramado sobre su alma oscurecida; adonde su espíritu se desarrollaría con la sabiduría del cielo y con los dulces transportes del amor eterno, a fin de ser así preparado para gozar con una naturaleza santificada del descanso y de las glorias de la herencia eterna.

"Con esto queremos dar a entender que creemos que la salvación del cielo no depende en nada de lo que podamos hacer en esta vida, ni de un cambio actual de corazón, ni de una creencia actual ni de una profesión de fe religiosa".

Así es como este profeso ministro de Cristo reitera la mentira ya dicha por la serpiente en Edén: "De seguro que no moriréis". "En el día que comiereis de él, vuestros ojos serán abiertos, y seréis como Dios". Afirma que los más viles pecadores —el homicida, el ladrón y el adúltero— serán preparados después de la muerte para gozar de la eterna bienaventuranza.

¿Y de dónde saca sus conclusiones este falseador de las Sagradas Escrituras? -De una simple frase que expresa la sumisión de David a la dispensación de la Providencia. Su alma "deseó ver a Absalom: porque estaba consolado acerca de Amnón que era muerto". Al mitigarse con el andar del tiempo la acrimonia de su aflicción, sus pensamientos se volvieron del hijo muerto al hijo vivo que se había desterrado voluntariamente por temor al justo castigo de su crimen. ¡Y esto es una evidencia de que el incestuoso y ebrio Amnón fue al morir llevado inmediatamente a la morada de los bienaventurados, para ser purificado y preparado allí para la sociedad de los ángeles inmaculados! ¡Fábula amena, por cierto, muy apropiada para satisfacer el corazón carnal ¡Es la doctrina del mismo Satanás y produce el efecto que él desea! ¿Es entonces de extrañar que con tales enseñanzas la iniquidad abunde?

La conducta de este falso maestro ilustra la de otros muchos. Desprenden de sus contextos unas cuantas palabras de las Sagradas Escrituras, por más que en muchos casos aquéllos encierren un significado contrario al que se les presta; y esos pasajes así aislados se tuercen y se emplean para probar doctrinas que no tienen ningún fundamento en la Palabra de Dios. El pasaje citado para probar que el borracho Amnón está en el cielo, no pasa de ser una mera conjetura, a la que contradice terminantemente la declaración llana y positiva de las Santas Escrituras de que los dados a la embriaguez no poseerán el reino de Dios (1 Corintios 6:10). Y así es como los que dudan, los incrédulos y los escépticos convierten la verdad en mentira. Y con tales sofismas se engaña a muchos y se los arrulla en la cuna de una seguridad carnal. Si fuese cierto que las almas de todos los hombres van directamente al cielo en la hora de la disolución, entonces bien podríamos anhelar la muerte antes que la vida. Esta creencia ha inducido a muchas personas a poner fin a su existencia. Cuando está uno anonadado por los cuidados, por las perplejidades y los desengaños, parece cosa fácil romper el delgado hilo de la vida y lanzarse hacia la bienaventuranza del mundo eterno.

Dios declara positivamente en su Palabra que castigará a los transgresores de su ley. Los que se lisonjean con la idea de que es demasiado misericordioso para ejecutar su justicia contra los pecadores, no tienen más que mirar a la cruz del Calvario. La muerte del inmaculado Hijo de Dios testifica que "la paga del pecado es muerte," que toda violación de la ley de Dios debe recibir su justa retribución. Cristo, que era sin pecado, se hizo pecado a causa del hombre. Cargó con la culpabilidad de la transgresión y sufrió tanto, cuando su Padre apartó su faz de él, que su corazón fue destrozado y su vida aniquilada. Hizo todos esos sacrificios a fin de redimir al pecador. De ningún otro modo habría podido el hombre libertarse de la penalidad del pecado. Y toda alma que se niegue a participar de la expiación conseguida a tal precio, debe cargar en su propia persona con la culpabilidad y con el castigo por la transgresión.

Consideremos lo que la Biblia enseña además respecto a los impíos y a los que no se han arrepentido, y a quienes los universalistas colocan en el cielo como santos y bienaventurados ángeles.

> *El poder y la autoridad del gobierno de Dios serán empleados para vencer la rebelión; sin embargo, todas las manifestaciones de su justicia retributiva estarán perfectamente en armonía con el carácter de Dios, de un Dios misericordioso, paciente y benévolo.*

"Al que tuviere sed, le daré a beber de la fuente del agua de la vida de balde" (Apocalipsis 21:6, V.M.). Esta promesa es sólo para aquellos que tuvieren sed. Sólo aquellos que sienten la necesidad del agua de la vida y que la buscan a cualquier precio, la recibirán. "El que venciere heredará todas las cosas; y yo seré su Dios, y él será mi hijo" (Vers. 7). Aquí también, las condiciones están especificadas. Para heredar todas las cosas, debemos resistir al pecado y vencerlo.

El Señor declara por el profeta Isaías: "Decid al justo que le irá bien". "¡Ay del impío! mal le irá porque según las obras de sus manos le será pagado" (Isaías 3:10-11). "Pero aunque el pecador haga mal cien veces —dice el sabio—, y con todo se le prolonguen los días, sin embargo yo ciertamente sé que les irá bien a los que temen a Dios, por lo mismo que temen delante de él. Al hombre malo empero no le irá bien" (Eclesiastés 8:12-13, V.M.). Y San Pablo declara que el pecador se atesora "ira para el día de la ira de la manifestación del justo juicio de Dios; el cual pagará a cada uno conforme a sus obras;" "tribulación y angustia sobre toda persona humana que obra lo malo" (Romanos 2:5-6, 9).

"Ningún fornicario, ni persona impúdica, u hombre avaro, el cual es idólatra, tiene herencia alguna en el reino de Cristo y de Dios" (Efesios 5:5, V.M.). "Seguid la paz con todos, y la santidad, sin la cual nadie verá al Señor" (Hebreos 12:14). "Bienaventurados los que guardan sus mandamientos, para que su potencia sea en el árbol de la vida, y que entren por las puertas en la ciudad. Mas los perros estarán fuera, y los hechiceros, y los disolutos, y los homicidas, y los idólatras, y cualquiera que ama y hace mentira" (Apocalipsis 22:14-15).

Dios ha hecho a los hombres una declaración respecto de su carácter y de su modo de proceder con el pecador: "¡Jehová, Jehová, Dios compasivo y clemente, lento en iras y grande en misericordia y en fidelidad; que usa de misericordia hasta la milésima generación; que perdona la iniquidad, la transgresión y el pecado, pero que de ningún modo tendrá por inocente al rebelde!" (Éxodo 34:6-7, V.M.). "Destruirá a todos los inicuos". "Los transgresores ¡todos a una serán destruidos; el porvenir de los malos será cortado!" (Salmos 115:20; 37:38, V.M.). El poder y la autoridad del gobierno de Dios serán empleados para vencer la rebelión; sin embargo, todas las manifestaciones de su justicia retributiva estarán perfectamente en armonía con el carácter de Dios, de un Dios misericordioso, paciente y benévolo.

Dios no fuerza la voluntad ni el juicio de nadie. No se complace en la obediencia servil. Quiere que las criaturas salidas de sus manos le amen porque es digno de amor. Quiere que le obedezcan porque aprecian debidamente su sabiduría, su justicia y su bondad. Y todos los que tienen justo concepto de estos atributos le amarán porque serán atraídos a él por la admiración de sus atributos.

Los principios de bondad, misericordia y amor enseñados y puestos en práctica por nuestro Salvador son fiel trasunto de la voluntad y del carácter de Dios. Cristo declaró que no enseñaba nada que no hubiese recibido de su Padre. Los principios del gobierno divino se armonizan perfectamente con el precepto del Salvador: "Amad a vuestros enemigos". Dios ejecuta su justicia sobre los malos para el bien del universo, y hasta para el bien de aquellos sobre quienes recaen sus juicios. Él quisiera hacerlos felices, si pudiera hacerlo de acuerdo con las leyes de su gobierno y la justicia de su carácter. Extiende hasta ellos las manifestaciones de su amor, les concede el conocimiento de su ley y los persigue con las ofertas de su misericordia; pero ellos desprecian su amor, invalidan su ley y rechazan su misericordia. Por más que reciben continuamente sus dones, deshonran al Dador; aborrecen a Dios porque saben que aborrece sus pecados. El Señor soporta mucho tiempo sus perversidades; pero la hora decisiva llegará al fin y entonces su suerte quedará resuelta. ¿Encadenará él entonces estos rebeldes a su lado? ¿Los obligará a hacer su voluntad?

Los que han escogido a Satanás por jefe, y que se han puesto bajo su poder, no están preparados para entrar en la presencia de Dios. El orgullo, el engaño, la impureza, la crueldad se han arraigado en sus caracteres. ¿Pueden entonces entrar en el cielo para morar eternamente con aquellos a quienes despreciaron y odiaron en la tierra? La verdad no agradará nunca al mentiroso; la mansedumbre no satisfará jamás a la vanidad y al orgullo; la pureza no puede ser aceptada por el disoluto; el amor desinteresado no tiene atractivo para el egoísta. ¿Qué goces podría ofrecer el cielo a los que están completamente absorbidos en los intereses egoístas de la tierra?

¿Acaso podrían aquellos que han pasado su vida en rebelión contra Dios ser transportados de pronto al cielo y contemplar el alto y santo estado de perfección que allí se ve, donde toda alma rebosa de amor, todo semblante irradia alegría, la música arrobadora se eleva en acordes melodiosos en honor a Dios y al Cordero, y brotan raudales de luz del rostro de Aquel que está sentado en el trono e inundan a los redimidos? ¿Podrían acaso aquellos cuyos corazones están llenos de odio hacia Dios y a la verdad y a la santidad alternar con los ejércitos celestiales y unirse a sus cantos de alabanza? ¿Podrían soportar la gloria de Dios y del Cordero? -No, no; años de prueba les fueron concedidos para que pudiesen formar caracteres para el cielo; pero nunca se acostumbraron a amar lo que es puro; nunca aprendieron el lenguaje del cielo, y ya es demasiado tarde. Una vida de rebelión contra Dios los ha inhabilitado para el cielo. La pureza, la santidad y la paz que reinan allí serían para ellos un tormento; la gloria de Dios, un fuego consumidor. Ansiarían huir de aquel santo lugar. Desearían que la destrucción los cubriese de la faz de Aquel que murió para redimirlos. La suerte de los malos queda determinada por la propia elección de ellos. Su exclusión del cielo es un acto de su propia voluntad y un acto de justicia y misericordia por parte de Dios.

Del mismo modo que las aguas del diluvio, las llamas del gran día proclamarán el veredicto de Dios de que los malos son incurables. Ellos no tienen ninguna disposición para someterse a la autoridad divina. Han ejercitado su voluntad en la rebeldía; y cuando termine la vida será demasiado tarde para desviar la corriente de sus pensamientos en sentido opuesto, demasiado tarde para volverse de la transgresión hacia la obediencia, del odio hacia el amor.

Al perdonarle la vida a Caín el homicida, Dios dio al mundo un ejemplo de lo que sucedería si le fuese permitido al pecador seguir llevando una vida de iniquidad sin freno. La influencia de las enseñanzas y de la conducta de Caín arrastraron al pecado a multitudes de sus descendientes, hasta "que la malicia de los hombres era mucha en la tierra, y que todo designio de los pensamientos del corazón de ellos era de continuo solamente el mal". "Y corrompióse la tierra delante de Dios, y estaba la tierra llena de violencia" (Génesis 6:5, 11).

Fue por misericordia para con el mundo por lo que Dios barrió los habitantes de él en tiempo de Noé. Fue también por misericordia por lo que destruyó a los habitantes corrompidos de Sodoma. Debido al poder engañador de Satanás, los obreros de iniquidad se granjean simpatía y admiración y arrastran a otros a la rebelión. Así sucedió en días de Caín y de Noé, como también en tiempo de Abraham y de Lot; y así sucede en nuestros días. Por misericordia para con el universo destruirá Dios finalmente a los que rechazan su gracia.

"Porque la paga del pecado es muerte: mas la dádiva de Dios es vida eterna en Cristo Jesús Señor nuestro" (Romanos 6:23). Mientras la vida es la heredad de los justos, la muerte es la porción de los impíos. Moisés declaró a Israel: "Mira, yo he puesto delante de ti hoy la vida y el bien, la muerte y el mal" (Deuteronomio 30:15). La muerte de la cual se habla en este pasaje no es aquella a la que fue condenado Adán, pues toda la humanidad sufre la penalidad de su transgresión. Es "la muerte segunda," puesta en contraste con la vida eterna.

A consecuencia del pecado de Adán, la muerte pasó a toda la raza humana. Todos descienden igualmente a la tumba. Y debido a las disposiciones del plan de salvación, todos saldrán de los sepulcros. "Ha de haber resurrección de los muertos, así de justos como de injustos" (Hechos 24:15). "Porque así como en Adán todos mueren, así también en Cristo todos serán vivificados" (1 Corintios 15:22). Pero queda sentada una distinción entre las dos clases que serán resucitadas. "Todos los que están en los sepulcros oirán su voz [del Hijo del hombre]; y los que hicieron bien, saldrán a resurrección de vida; mas los que hicieron mal a resurrección de condenación" (S. Juan 5:28-29). Los que hayan sido "tenidos por dignos" de resucitar para la vida son llamados "dichosos y santos". "Sobre los tales la segunda muerte no tiene poder" (Apocalipsis 20:6, V.M.). Pero los que no hayan asegurado para sí el perdón, por medio del arrepentimiento y de la fe, recibirán el castigo señalado a la transgresión: "la paga del pecado". Sufrirán un castigo de duración e intensidad diversas "según sus obras," pero que terminará finalmente en la segunda muerte. Como, en conformidad con su justicia y con su misericordia, Dios no puede salvar al pecador en sus pecados, le priva de la existencia misma que sus transgresiones tenían ya comprometida y de la que se ha mostrado indigno. Un escritor inspirado dice: "Pues de aquí a poco no será el malo: y contemplarás sobre su lugar, y no parecerá". Y otro dice: "Serán como si no hubieran sido" (Salmo 37:10; Abdías 16). Cubiertos de infamia, caerán en irreparable y eterno olvido.

Así se pondrá fin al pecado y a toda la desolación y las ruinas que de él procedieron. El salmista dice: "Reprendiste gentes, destruiste al malo, raíste el nombre de ellos para siempre jamás. Oh enemigo, acabados son para siempre los asolamientos" (Salmo 9:5-6). San Juan, al echar una mirada hacia la eternidad, oyó una antífona universal de alabanzas que no era interrumpida por ninguna disonancia. Oyó a todas las criaturas del cielo y de la tierra rindiendo gloria a Dios (Apocalipsis 5:13). No habrá entonces almas perdidas que blasfemen a Dios retorciéndose en tormentos sin fin, ni seres infortunados que desde el infierno unan sus gritos de espanto a los himnos de los elegidos.

En el error fundamental de la inmortalidad natural, descansa la doctrina del estado consciente de los muertos, doctrina que, como la de los tormentos eternos, está en pugna con las enseñanzas de las Sagradas Escrituras, con los dictados de la razón y con nuestros sentimientos de humanidad. Según la creencia popular, los redimidos en el cielo están al cabo de todo lo que pasa en la tierra, y especialmente de lo que les pasa a los amigos que dejaron atrás. ¿Pero cómo podría ser fuente de dicha para los muertos el tener conocimiento de las aflicciones y congojas de los vivos, el ver los pecados cometidos por aquellos a quienes aman y verlos sufrir todas las penas, desilusiones y angustias de la vida? ¿Cuánto podrían gozar de la bienaventuranza del cielo los que revolotean alrededor de sus amigos en la tierra? ¡Y cuán repulsiva es la creencia de que, apenas exhalado el último suspiro, el alma del impenitente es arrojada a las llamas del infierno! ¡En qué abismos de dolor no deben sumirse los que ven a sus amigos bajar a la tumba sin preparación para entrar en una eternidad de pecado y de dolor! Muchos han sido arrastrados a la locura por este horrible pensamiento que los atormentara. ¿Qué dicen las Sagradas Escrituras a este respecto? David declara que el hombre no es consciente en la muerte: "Saldrá su espíritu, tornaráse en su tierra: en aquel día perecerán sus pensamientos" (Salmo 146: 4). Salomón da el mismo testimonio: "Porque los que viven saben que han de morir: mas los muertos nada saben". "También su amor, y su odio y su envidia, feneció

ya: ni tiene ya más parte en el siglo, en todo lo que se hace debajo del sol". "Adonde tú vas no hay obra, ni industria, ni ciencia, ni sabiduría" (Eclesiastés 9:5-6, 10).

Cuando, en respuesta a sus oraciones, la vida de Ezequías fue prolongada por quince años, el rey agradecido, tributó a Dios loores por su gran misericordia. En su canto de alabanza, dice por qué se alegraba: "No te ha de alabar el sepulcro; la muerte no te celebrará; ni esperarán en tu verdad los que bajan al hoyo. El viviente, el viviente sí, él te alabará, como yo, el día de hoy" (Isaías 38:18-19, V.M.). La teología de moda presenta a los justos que fallecen como si estuvieran en el cielo gozando de la bienaventuranza y loando a Dios con lenguas inmortales, pero Ezequías no veía tan gloriosa perspectiva en la muerte. Sus palabras concuerdan con el testimonio del salmista: "Porque en la muerte no hay memoria de ti: ¿Quién te loará en el sepulcro?" (Salmo 6:5). "No son los muertos los que alaban a Jehová, ni todos los que bajan al silencio" (Salmos 115:17, V.M.).

En el día de Pentecostés, San Pedro declaró que el patriarca David "murió, y fue sepultado, y su sepulcro está con nosotros hasta el día de hoy". "Porque David no subió a los cielos" (Hechos 2:29, 34). El hecho de que David permanecerá en el sepulcro hasta el día de la resurrección, prueba que los justos no van al cielo cuando mueren. Es sólo mediante la resurrección, y en virtud y como consecuencia de la resurrección de Cristo por lo cual David podrá finalmente sentarse a la diestra de Dios.

Y San Pablo dice: "Porque si los muertos no resucitan, tampoco Cristo resucitó. Y si Cristo no resucitó, vuestra fe es vana; aun estáis en vuestros pecados. Entonces también los que durmieron en Cristo son perdidos" (1 Corintios 15:16-18). Si desde hace cuatro mil años los justos al morir hubiesen ido directamente al cielo, ¿cómo habría podido decir San Pablo que si no hay resurrección, "también los que durmieron en Cristo, son perdidos"? No habría necesidad de resurrección.

El mártir Tyndale, refiriéndose al estado de los muertos, declaró: "Confieso francamente que no estoy convencido de que ellos gocen ya de la plenitud de gloria en que se encuentran Dios y los ángeles elegidos. Ni es tampoco artículo de mi fe; pues si así fuera, entonces no puedo menos que ver que sería vana la predicación de la resurrección de la carne". —Guillermo Tyndale, en el prólogo de su traducción del Nuevo Testamento, reimpreso en *British Reformers-Tindal, Frith, Barnes*, p. 349.

Es un hecho incontestable que la esperanza de pasar al morir a la felicidad eterna ha llevado a un descuido general de la doctrina bíblica de la resurrección. Esta tendencia ha sido notada por el Dr. Adán Clarke, quien escribió: "¡La doctrina de la resurrección parece haber sido mirada por los cristianos como si tuviera una importancia mucho mayor que la que se le concede hoy! ¿Cómo es eso? Los apóstoles insistían siempre en ella y por medio de ella incitaban a los discípulos de Cristo a que fuesen diligentes, obedientes y de buen ánimo. Pero sus sucesores actuales casi nunca la mencionan. Tal la predicación de los apóstoles, y tal la fe de los primitivos cristianos; tal nuestra predicación y tal la fe de los que nos escuchan. No hay doctrina en la que el Evangelio insista más; y no hay doctrina que la predicación de nuestros días trate con mayor descuido".—*Commentary on the New Testament*, tomo II, comentario general de 1 Corintios 15, p. 3.

Y así siguieron las cosas hasta resultar en que la gloriosa verdad de la resurrección quedó casi completamente obscurecida y perdida de vista por el mundo cristiano. Es así que un escritor religioso autorizado, comentando las palabras de San Pablo en 1 Tesalonicenses 4:13-

18, dice: "Para todos los fines prácticos de consuelo, la doctrina de la inmortalidad bienaventurada de los justos reemplaza para nosotros cualquier doctrina dudosa de la segunda venida del Señor. Cuando morimos es cuando el Señor viene a buscarnos. Eso es lo que tenemos que esperar y para lo que debemos estar precavidos. Los muertos ya han entrado en la gloria. Ellos no esperan el sonido de la trompeta para comparecer en juicio y entrar en la bienaventuranza".

Pero cuando Jesús estaba a punto de dejar a sus discípulos, no les dijo que irían pronto a reunírsele. "Voy a prepararos el lugar —les dijo—. Y si yo fuere y os preparare el lugar, vendré otra vez, y os recibiré conmigo" (S. Juan 14:2-3, V.M.). Y San Pablo nos dice además que "el mismo Señor con aclamación, con voz de arcángel, y con trompeta de Dios, descenderá del cielo; y los muertos en Cristo resucitarán primero: luego nosotros, los que vivimos, los que quedamos, juntamente con ellos seremos arrebatados en las nubes a recibir al Señor en el aire, y así estaremos siempre con el Señor". Y agrega: "Por tanto, consolaos los unos a los otros en estas palabras (1 Tesalonicenses 4: 16-18). ¡Cuán grande es el contraste entre estas palabras de consuelo y las del ministro universalista citadas anteriormente! Este último consolaba a los amigos en duelo con la seguridad de que por pecaminoso que hubiese sido el fallecido, apenas hubo exhalado su último suspiro, debió ser recibido entre los ángeles. San Pablo recuerda a sus hermanos la futura venida del Señor, cuando las losas de las tumbas serán rotas y "los muertos en Cristo" resucitarán para la vida eterna.

Antes de entrar en la mansión de los bienaventurados, todos deben ser examinados respecto a su vida; su carácter y sus actos deben ser revisados por Dios. Todos deben ser juzgados con arreglo a lo escrito en los libros y recompensados según hayan sido sus obras. Este

EL MISTERIO DE LA INMORTALIDAD

juicio no se verifica en el momento de la muerte. Notad las palabras de San Pablo: "Por cuanto ha establecido un día, en el cual ha de juzgar al mundo con justicia, por aquel varón al cual determinó; dando fe a todos con haberle levantado de los muertos" (Hechos 17:31). El apóstol enseña aquí lisa y llanamente que cierto momento, entonces por venir, había sido fijado para el juicio del mundo.

La teoría de la inmortalidad del alma fue una de aquellas falsas doctrinas que Roma recibió del paganismo para incorporarla en el cristianismo.

San Judas se refiere a aquel mismo momento cuando dice: "A los ángeles que no guardaron su original estado, sino que dejaron su propia habitación, los ha guardado en prisiones eternas, bajo tinieblas, hasta el juicio del gran día". Y luego cita las palabras de Enoc: "¡He aquí que viene el Señor, con las huestes innumerables de sus santos ángeles, para ejecutar juicio sobre todos!" (S. Judas 6, 14-5, V.M.). San Juan declara que vio "a los muertos, pequeños y grandes, estar en pie delante del trono; y abriéronse los libros; . . . y los muertos fueron juzgados de acuerdo con las cosas escritas en los libros" (Apocalipsis 20:12, V.M).

Pero si los muertos están ya gozando de la bienaventuranza del cielo o están retorciéndose en las llamas del infierno, ¿qué necesidad hay de un juicio venidero? Las enseñanzas de la Palabra de Dios respecto a estos importantes puntos no son obscuras ni contradictorias; una inteligencia mediana puede entenderlas. ¿Pero qué espíritu imparcial puede encontrar sabiduría o justicia en la teoría corriente? ¿Recibirán acaso los justos después del examen de sus vidas en el día del juicio, esta alabanza: "¡muy bien, siervo bueno y fiel,… entra en el gozo de tu Señor!" cuando ya habrán estado habitando con él tal vez durante siglos? ¿Se sacará a los malos del lugar de tormento para hacerles oír la siguiente sentencia del juez de toda la tierra: "¡Apartaos de mí, malditos, al fuego eterno!"? (S. Mateo 25:21, 41, V.M.). ¡Burla solemne! ¡Vergonzosa ofensa inferida a la sabiduría y justicia de Dios!

La teoría de la inmortalidad del alma fue una de aquellas falsas doctrinas que Roma recibió del paganismo para incorporarla en el cristianismo. Martín Lutero la clasificó entre "las fábulas monstruosas que forman parte del estercolero romano" de las decretales (E. Petavel, *Le Probleme de l'Immortalité*, tomo 2, p. 77). Comentando las palabras de Salomón, en el Eclesiastés, de que los muertos no saben nada, el reformador dice: "Otra prueba de que los muertos son … insensibles…. Salomón piensa que los muertos están dormidos y no sienten absolutamente nada. Pues los muertos descansan, sin contar ni los días ni los años; pero cuando se despierten les parecerá como si apenas hubiesen dormido un momento". —Lutero, *Exposition of Solomon's Book Called Ecclesiastes*, p. 152.

En ningún pasaje de las Santas Escrituras se encuentra declaración alguna de que los justos reciban su recompensa y los malos su castigo en el momento de la muerte. Los patriarcas y los profetas no dieron tal seguridad. Cristo y sus apóstoles no la mencionaron siquiera. La Biblia enseña a las claras que los muertos no van inmediatamente al cielo. Se les representa como si estuvieran durmiendo hasta el día de la resurrección (1 Tesalonicenses 4:14; Job 14:10-12). El día mismo en que se corta el cordón de plata y se quiebra el tazón de oro (Eclesiastés 12:6), perecen los pensamientos de los hombres. Los que bajan a la tumba permanecen en el silencio. Nada saben de lo que se hace bajo el sol (Job 14:21). ¡Descanso bendito para los exhaustos justos! Largo o corto, el tiempo no les parecerá más que un momento. Duermen hasta que la trompeta de Dios los despierte para entrar en una gloriosa inmortalidad. "Porque sonará la trompeta, y los muertos resucitarán incorruptibles.... Porque es necesario que este cuerpo corruptible se revista de incorrupción, y que este cuerpo mortal se revista de inmortalidad. Y cuando este cuerpo corruptible se haya revestido de incorrupción, y este cuerpo mortal se haya revestido de inmortalidad, entonces será verificado el dicho que está escrito: ¡Tragada ha sido la muerte victoriosamente!" (1 Corintios 15:52-54, V.M.). En el momento en que sean despertados de su profundo sueño, reanudarán el curso de sus pensamientos interrumpidos por la muerte. La última sensación fue la angustia de la muerte. El último pensamiento era el de que caían bajo el poder del sepulcro. Cuando se levanten de la tumba, su primer alegre pensamiento se expresará en el hermoso grito de triunfo: "¿Dónde está, oh Muerte, tu aguijón? ¿dónde está, oh Sepulcro, tu victoria?" (vers. 55).

¿PUEDEN HABLARNOS NUESTROS MUERTOS?

L A OBRA ministradora de los santos ángeles, tal cual está presentada en las Santas Escrituras, es una verdad de las más alentadoras y de las más preciosas para todo discípulo de Cristo. Pero la enseñanza de la Biblia acerca de este punto ha sido obscurecida y pervertida por los errores de la teología popular. La doctrina de la inmortalidad natural, tomada en un principio de la filosofía pagana e incorporada a la fe cristiana en los tiempos tenebrosos de la gran apostasía, ha suplantado la verdad tan claramente enseñada por la Santa Escritura, de que "los muertos nada saben". Multitudes han llegado a creer que los espíritus de los muertos son los "espíritus ministradores, enviados para hacer servicio a favor de los que han de heredar la salvación". Y esto a pesar del testimonio de las Santas Escrituras respecto a la existencia de los ángeles celestiales y a la relación que ellos tienen con la historia humana desde antes que hubiese muerto hombre alguno.

La doctrina de que el hombre queda consciente en la muerte, y más aún la creencia de que los espíritus de los muertos vuelven para servir a los vivos, preparó el camino para el espiritismo moderno. Si los muertos son admitidos a la presencia de Dios y de los santos ángeles y si son favorecidos con conocimientos que superan en mucho a los que poseían anteriormente, ¿por qué no habrían de volver a la tierra para iluminar e ilustrar a los vivos? Si, como lo enseñan los teólogos populares, los espíritus de los muertos se ciernen en torno de sus amigos en la tierra, ¿por qué no les sería permitido comunicarse con ellos para prevenirlos del mal o para consolarlos en sus penas? ¿Cómo podrán los que creen en el estado consciente de los muertos rechazar lo que les viene cual luz divina comunicada por espíritus glorificados? Representan un medio de comunicación considerado sagrado, del que Satanás se vale para cumplir sus propósitos. Los ángeles caídos que ejecutan sus órdenes se presentan como mensajeros del mundo de los espíritus. Al mismo tiempo que el príncipe del mal asevera poner a los vivos en comunicación con los muertos,

ejerce también su influencia fascinadora sobre las mentes de aquéllos.

Satanás puede evocar ante los hombres la apariencia de sus amigos fallecidos. La imitación es perfecta; los rasgos familiares, las palabras y el tono son reproducidos con una exactitud maravillosa. Muchas personas se consuelan con la seguridad de que sus seres queridos están gozando de las delicias del cielo; y sin sospechar ningún peligro, dan oídos a "espíritus seductores, y a enseñanzas de demonios".

Después que Satanás ha hecho creer a esas personas que los muertos vuelven en realidad a comunicarse con ellas, hace aparecer a seres humanos que murieron sin preparación. Estos aseguran que son felices en el cielo y hasta que ocupan allí elevados puestos, por lo que se difunde el error de que no se hace diferencia entre los justos y los injustos. Esos supuestos visitantes del mundo de los espíritus dan a veces avisos y advertencias que resultan exactos. Luego que se han ganado la confianza, presentan doctrinas que de hecho destruyen la fe en las Santas Escrituras. Aparentando profundo interés por el bienestar de sus amigos en la tierra, insinúan los errores más peligrosos. El hecho de que dicen algunas verdades y pueden a veces anunciar acontecimientos da a sus testimonios una apariencia de verosimilitud; y sus falsas enseñanzas son aceptadas por las multitudes con tanta diligencia y creídas tan a ciegas, como si se tratara de las verdades más sagradas de la Biblia. Se rechaza la ley de Dios, se desprecia al Espíritu de gracia y se considera la sangre de la alianza como cosa profana. Los espíritus niegan la divinidad de Cristo y hasta ponen al Creador en el mismo nivel que ellos mismos. Bajo este nuevo disfraz el gran rebelde continúa llevando adelante la guerra que empezó en el cielo y que se prosigue en la tierra desde hace unos seis mil años.

Muchos tratan de explicar las manifestaciones espiritistas atribuyéndolas por completo al fraude y a juego de manos de los médiums. Pero, si bien es cierto que muchas veces se han hecho pasar supercherías por verdaderas manifestaciones, no deja de haber habido también manifestaciones de poder sobrenatural. Los llamamientos misteriosos con que empezó el espiritismo moderno no fueron resultado de la superchería o de la astucia humana, sino obra directa de ángeles malos, que introdujeron así uno de los engaños más eficaces para la destrucción de las almas. Muchos hombres serán entrampados por la creencia de que el espiritismo es tan sólo una impostura humana; pero cuando sean puestos en presencia de manifestaciones cuyo carácter sobrenatural no pueda negarse, serán seducidos y obligados a aceptarlas como revelación del poder divino.

Estas personas no toman en cuenta el testimonio de las Santas Escrituras respecto a los milagros de Satanás y de sus agentes. No fue sino mediante la ayuda de Satanás que los nigromantes de Faraón pudieron imitar la acción de Dios. San Pablo declara que antes de la segunda venida de Cristo habrá manifestaciones análogas del poder satánico. La venida del Señor debe ser precedida de la "operación de Satanás, con todo poder, y con señales, y con maravillas mentirosas, y con todo el artificio de la injusticia" (2 Tesalonicenses 2:9-10, V.M.). Y el apóstol San Juan, describiendo el poder milagroso que se ha de dar a conocer en los últimos días, declara: "Obra grandes prodigios, de tal modo que hace descender fuego del cielo a la tierra, a la vista de los hombres. Y engaña a los que habitan sobre la tierra, por medio de las señales que se le ha dado poder de hacer" (Apocalipsis 13:13-14, V.M.). Lo que se predice aquí no es una simple impostura. Los hombres serán engañados por los milagros que los agentes de Satanás no sólo pretenderán hacer, sino que de hecho tendrán poder para realizar.

El príncipe de las tinieblas, que por tanto tiempo ha estado empleando los poderes de su inteligencia superior en la obra de engaño, adapta hábilmente sus tentaciones a los hombres de todas las clases y condiciones. A las personas cultas y refinadas les presenta el espiritismo bajo sus aspectos más sutiles e intelectuales, y así consigue atraer a muchos a sus redes. La sabiduría que comunica el espiritismo es la que describe el apóstol Santiago, la cual "no es la que desciende de lo alto, sino terrena, animal,

> *El que, vestido con el brillo de celestiales serafines, pudo aparecer ante Cristo para tentarle en el desierto, suele presentarse también a los hombres del modo más atractivo, cual si fuere ángel de luz.*

diabólica" (Santiago 3:15). Y esto es, precisamente, lo que encubre el gran seductor cuando el sigilo es lo que más conviene a sus fines. El que, vestido con el brillo de celestiales serafines, pudo aparecer ante Cristo para tentarle en el desierto, suele presentarse también a los hombres del modo más atractivo, cual si fuere ángel de luz. Apela a la razón por la presentación de temas elevados; deleita los sentidos con escenas que cautivan y conquistan los afectos por medio de imágenes elocuentes de amor y caridad. Excita la imaginación en sublimes arrebatos e induce a los hombres a enorgullecerse

tanto de su propia sabiduría, que en el fondo de su corazón desprecian al Dios eterno. Ese ser poderoso que pudo transportar al Redentor del mundo a un altísimo monte y poner ante su vista todos los reinos y la gloria de la tierra, presentará sus tentaciones a los hombres y pervertirá los sentidos de todos los que no estén protegidos por el poder divino.

Satanás seduce hoy día a los hombres como sedujo a Eva en el Edén, lisonjeándolos, alentando en ellos el deseo de conocimientos prohibidos y despertando en ellos la ambición de exaltarse a sí mismos. Fue alimentando esos males cómo cayó él mismo, y por ellos trata de acarrear la ruina de los hombres. "Y seréis como Dios —dijo él—, conocedores del bien y del mal" (Génesis 3:5, V.M.). El espiritismo enseña "que el hombre es un ser susceptible de adelanto; que su destino consiste en progresar desde su nacimiento, aun hasta la eternidad, hacia la divinidad". Y además que "cada inteligencia se juzgará a sí misma y no será juzgada por otra". "El juicio será justo, porque será el juicio que uno haga de sí mismo... El tribunal está interiormente en vosotros". Un maestro espiritista dijo cuando "la conciencia espiritual" se despertó en él: "Todos mis semejantes eran semidioses no caídos". Y otro dice: "Todo ser justo y perfecto es Cristo".

Así, en lugar de la justicia y perfección del Dios infinito que es el verdadero objeto de la adoración; en lugar de la justicia perfecta de la ley, que es el verdadero modelo de la perfección humana, Satanás ha colocado la naturaleza pecadora del hombre sujeto al error, como único objeto de adoración, única regla del juicio o modelo del carácter. Eso no es progreso, sino retroceso.

Hay una ley de la naturaleza intelectual y espiritual según la cual modificamos nuestro ser mediante la contemplación. La inteligencia se adapta gradualmente a los asuntos en que se ocupa. Se asimila lo que se acostumbra a amar y a reverenciar. Jamás se elevará el hombre a mayor altura que a la de su ideal de pureza, de bondad o de verdad. Si se considera a sí mismo como el ideal más sublime, jamás llegará a cosa más exaltada. Caerá más bien en bajezas siempre mayores. Sólo la gracia de Dios puede elevar al hombre. Si depende de sus propios recursos, su conducta empeorará inevitablemente.

A los indulgentes consigo mismos, a los amigos del placer, a los sensuales, el espiritismo se presenta bajo un disfraz menos sutil que cuando se presenta a gente más refinada e intelectual. En sus formas groseras, aquéllos encuentran lo que está en armonía con sus inclinaciones. Satanás estudia todos los indicios de la fragilidad humana, nota los pecados que cada hombre está inclinado a cometer, y cuida luego de que no falten ocasiones para que las tendencias hacia el mal sean satisfechas. Tienta a los hombres para que se excedan en cosas que son legítimas en sí mismas, a fin de que la intemperancia debilite sus fuerzas físicas y sus energías mentales y morales. Ha hecho morir y está haciendo morir miles de personas por la satisfacción de las pasiones, embruteciendo así la naturaleza humana. Y para completar su obra, declara por intermedio de los espíritus, que "el verdadero conocimiento coloca a los hombres por encima de toda ley;" que "cualquier cosa que sea, es buena"; que "Dios no condena"; y que "todos los pecados que se cometen se cometen sin envolver culpabilidad alguna". Cuando la gente es inducida así a creer que el deseo es ley suprema, que la libertad es licencia y que el hombre no es responsable más que ante sí mismo, ¿quién puede admirarse de que la corrupción y la depravación abunden por todas partes? Las multitudes aceptan con avidez las enseñanzas que les dan libertad para obedecer los impulsos carnales. Se da rienda suelta a la lujuria y el hombre pierde el imperio sobre sí

mismo; las facultades del espíritu y del alma son sometidas a los más bestiales apetitos, y Satanás prende alegremente en sus redes a millares de personas que profesan ser discípulos de Cristo.

Pero nadie tiene por qué dejarse alucinar por los asertos engañosos del espiritismo. Dios ha dado a los hombres luz suficiente para que puedan descubrir la trampa. Como ya lo hemos visto, la teoría que constituye el fundamento mismo del espiritismo está en plena contradicción con las declaraciones más terminantes de las Santas Escrituras. La Biblia declara que los muertos no saben nada, que sus pensamientos han perecido; no tienen parte en nada de lo que se hace bajo el sol; no saben nada de las dichas ni de las penas de los que les eran más caros en la tierra.

Además, Dios ha prohibido expresamente toda supuesta comunicación con los espíritus de los muertos. En tiempo de los hebreos había una clase de personas que pretendía, como los espiritistas de nuestros días, sostener comunicaciones con los muertos. Pero la Biblia declara que los "espíritus," como se solía llamar a los visitantes de otros mundos, son "espíritus de demonios" (Compárese Números 25:1-3; Salmo 106:28; 1 Corintios 10:20; Apocalipsis 16:14). La costumbre de tratar con espíritus o adivinos fue declarada abominación para el Señor y era solemnemente prohibida so pena de muerte (Levítico 19:31; 20:27). Aun el nombre de la hechicería es objeto de desprecio en la actualidad. El aserto de que los hombres pueden tener comunicación con malos espíritus es considerado como una fábula de la Edad Media. Pero el espiritismo, que cuenta con centenares de miles y hasta con millones de adherentes, que se ha abierto camino entre las sociedades científicas, que ha invadido iglesias y que ha sido acogido con favor entre los cuerpos legislativos y hasta en las cortes de los reyes — este engaño colosal no es más que la reaparición, bajo un nuevo disfraz, de la hechicería condenada y prohibida en la antigüedad.

Si no existiera otra evidencia tocante a la naturaleza real del espiritismo, debería bastar a todo cristiano el hecho de que los espíritus no hacen ninguna diferencia entre lo que es justo y lo que es pecado, entre el más noble y puro de los apóstoles de Cristo y los más degradados servidores de Satanás. Al representar al hombre más vil como si estuviera altamente exaltado en el cielo, es como si Satanás declarara al mundo: "No importa cuán malos seáis; no importa que creáis o no en Dios y en la Biblia. Vivid como gustéis, que el cielo es vuestro hogar". Los maestros espiritistas declaran virtualmente: "Todo aquel que obra mal es bueno a los ojos de Jehová, y él se complace en los tales; o si no, ¿dónde está el Dios de juicio?" (Malaquías 2:17, V.M.). La Palabra de Dios dice: "¡Ay de los que llaman a lo malo bueno, y a lo bueno malo; que ponen tinieblas por luz, y luz por tinieblas!" (Isaías 5:20, V.M.).

Esos espíritus mentirosos representan a los apóstoles como contradiciendo lo que escribieron bajo la inspiración del Espíritu Santo durante su permanencia en la tierra. Niegan el origen divino de la Biblia, anulan así el fundamento de la esperanza cristiana y apagan la luz que revela el camino hacia el cielo. Satanás hace creer al mundo que la Biblia no es más que una ficción, o cuando mucho un libro apropiado para la infancia de la raza, del que se debe hacer poco caso ahora, o ponerlo a un lado por anticuado. Y para reemplazar la Palabra de Dios, ese mismo Satanás ofrece sus manifestaciones espiritistas. Estas están enteramente bajo su dirección y mediante ellas puede hacer creer al mundo lo que quiere. Pone en la oscuridad, precisamente donde le conviene que esté, el Libro que le debe juzgar a él y a sus siervos y hace aparecer al Salvador del mundo como un simple hombre. Así como la guardia romana que vigilaba la tumba de Jesús difundió la mentira que los sacerdotes y los ancianos insinuaron para negar su resurrección, así también los que creen en las manifestaciones espiritistas tratan de hacer creer que no hay nada milagroso en las circunstancias que rodearon la vida de Jesús. Después de procurar así que la gente no vea a Jesús, le llaman la atención hacia sus propios milagros y los declaran muy superiores a las obras de Cristo.

Es cierto que el espiritismo está mudando actualmente sus formas, y echando un velo sobre algunos de sus rasgos más repulsivos, reviste un disfraz cristiano. Pero sus declaraciones hechas desde la tribuna y en la prensa han sido conocidas por el público desde hace muchos años, y revelan su carácter verdadero. Esas enseñanzas no pueden ser negadas ni encubiertas.

Hasta en su forma actual, lejos de ser más tolerable, el espiritismo es en realidad más peligroso que anteriormente, debido a la mayor sutileza de su engaño. Mientras años atrás atacaba a Cristo y la Biblia, declara ahora que acepta a ambos. Pero su interpretación de la Biblia está calculada para agradar al corazón irregenerado, al paso que anula el efecto de sus verdades solemnes y vitales. Los espiritistas hacen hincapié en el amor como si fuese atributo principal de Dios, pero lo rebajan hasta hacer de él un sentimentalismo enfermizo y hacen poca distinción entre el bien y el mal. La justicia de Dios, su reprobación del pecado, las exigencias de su santa ley, todo eso lo pierden de vista. Enseñan al pueblo a que mire el Decálogo como si fuera letra muerta. Fábulas agradables y encantadoras cautivan los sentidos e inducen a los hombres a que rechacen la Biblia como fundamento de su fe. Se niega a Cristo tan descaradamente como antes; pero Satanás ha cegado tanto al pueblo que no discierne el engaño.

Pocas son las personas que tienen justo

concepto del poder engañoso del espiritismo y del peligro que hay en caer bajo su influencia. Muchas personas juegan con él sin otro objeto que el de satisfacer su curiosidad. No tienen fe verdadera en él y se llenarían de horror al pensar en abandonarse al dominio de los espíritus. Pero se aventuran en terreno vedado y el poderoso destructor ejerce su ascendiente sobre ellos contra su voluntad. Pero una vez que los induce a

> *Los que se oponen a las enseñanzas del espiritismo atacan no sólo a los hombres, sino también a Satanás y a sus ángeles. Han emprendido la lucha contra principados, potestades y malicias espirituales en los aires.*

abandonar sus inteligencias a su dirección, los mantiene cautivos. Es imposible que con su propia fuerza rompan el encanto hechicero y seductor. Sólo el poder de Dios otorgado en contestación a la fervorosa oración de fe, puede libertar a esas almas prisioneras.

Todos aquellos que conservan y cultivan rasgos pecaminosos de carácter, o que fomentan un pecado conocido, atraen las tentaciones de Satanás. Se separan de Dios y de la protección de sus ángeles, y cuando el maligno les tiende sus redes quedan indefensos y se convierten en fácil presa. Los que de tal suerte se abandonan al poder satánico no comprenden adónde los llevará su conducta. Pero, después de haberlos

subyugado por completo, el tentador los empleará como agentes para empujar a otros a la ruina.

El profeta Isaías dice: "Y cuando os dijeren: Acudid a los espíritus y a los adivinos, que chirrían y mascullan; responded: ¿No debe un pueblo acudir más bien a su Dios? ¿ por los vivos acaso se ha de acudir a los muertos? ¡A la ley y al testimonio! si no hablaren conforme a esta palabra, son aquellos para quienes no ha amanecido" (Isaías 8: 19-20, V.M.). Si los hombres hubiesen querido recibir la verdad tan claramente expresada en las Santas Escrituras, referente a la naturaleza del hombre y al estado de los muertos, reconocerían en las declaraciones y manifestaciones del espiritismo la operación de Satanás con poder y con prodigios mentirosos. Pero en vez de renunciar a la libertad tan cara al corazón pecaminoso y a sus pecados favoritos, la mayoría de los hombres cierra los ojos a la luz y sigue adelante sin cuidarse de las advertencias, mientras Satanás tiende sus lazos en torno de ellos y los hace presa suya. "Por cuanto no admitieron el amor de la verdad, para que fuesen salvos,... Dios les envía la eficaz operación de error, a fin de que crean a la mentira" (2 Tesalonicenses 2:10-11, V.M.).

Los que se oponen a las enseñanzas del espiritismo atacan no sólo a los hombres, sino también a Satanás y a sus ángeles. Han emprendido la lucha contra principados, potestades y malicias espirituales en los aires. Satanás no cederá una pulgada de terreno mientras no sea rechazado por el poder de mensajeros celestiales. El pueblo de Dios debe hacerle frente como lo hizo nuestro Salvador, con las palabras: "Escrito está". Satanás puede hoy citar las Santas Escrituras como en tiempo de Cristo, y volverá a pervertir las enseñanzas de ellas para sostener sus engaños. Los que quieran permanecer firmes en estos tiempos de peligro deben comprender por sí mismos el testimonio de las Escrituras.

Muchos tendrán que vérselas con espíritus de demonios que personificarán a parientes o amigos queridos y que proclamarán las herejías más peligrosas. Estos espíritus apelarán a nuestros más tiernos sentimientos de simpatía y harán milagros con el fin de sostener sus asertos. Debemos estar listos para resistirles con la verdad bíblica de que los muertos no saben nada y de que los que aparecen como tales son espíritus de demonios.

> *Muchos tendrán que vérselas con espíritus de demonios que personificarán a parientes o amigos queridos y que proclamarán las herejías más peligrosas.*

Es inminente "la hora de la tentación que ha de venir en todo el mundo, para probar a los que moran en la tierra" (Apocalipsis 3:10). Todos aquellos cuya fe no esté firmemente cimentada en la Palabra de Dios serán engañados y vencidos. La operación de Satanás es "con todo el artificio de la injusticia" a fin de alcanzar dominio sobre los hijos de los hombres; y sus engaños seguirán aumentando. Pero sólo puede lograr sus fines cuando los hombres ceden voluntariamente a sus tentaciones. Los que busquen sinceramente el conocimiento de la verdad, y se esfuercen en purificar sus almas

mediante la obediencia, haciendo así lo que pueden en preparación para el conflicto, encontrarán; seguro refugio en el Dios de verdad. "Por cuanto has guardado la palabra de mi paciencia, yo también te guardaré" (vers. 10), es la promesa del Salvador. El enviaría a todos los ángeles del cielo para proteger a su pueblo antes que permitir que una sola alma que confíe en él sea vencida por Satanás.

El profeta Isaías describe el terrible engaño que seducirá a los impíos y les hará creerse al amparo de los juicios de Dios "Hemos hecho pacto con la muerte, y con el infierno tenemos hecho convenio; cuando pasaré el azote, cual torrente, no nos alcanzará; porque hemos puesto las mentiras por nuestro refugio, y entre los embustes nos hemos escondido" (Isaías 28:15, V.M.). En la categoría de personas así descritas se encuentran los que en su impenitencia y obstinación se consuelan con la seguridad de que no habrá castigo para el pecador, de que todos los miembros de la humanidad, por grande que sea su corrupción, serán elevados hasta el cielo para volverse como ángeles de Dios. Pero hay otros quienes de modo mucho más aparente están haciendo un pacto con la muerte y un convenio con el infierno. Son los que renuncian a las verdades que Dios dio como defensa para los justos en el día de congoja, y aceptan el falso refugio ofrecido en su lugar por Satanás, o sea los asertos mentirosos del espiritismo.

La obcecación de los hombres de esta generación es indeciblemente sorprendente. Miles de personas rechazan la Palabra de Dios como si no mereciese fe, mientras aceptan con absoluta confianza los engaños de Satanás. Los incrédulos y escarnecedores denuncian el fanatismo, como lo llaman, de los que luchan por la fe de los profetas y de los apóstoles, y se divierten ridiculizando las solemnes declaraciones de las Santas Escrituras referentes a Cristo, al plan de salvación y a la retribución que espera a los que rechazan la verdad. Fingen tener gran lástima por espíritus tan estrechos, débiles y supersticiosos, que acatan los mandatos de Dios y satisfacen las exigencias de su ley. Hacen alarde de tanto descaro como si en realidad hubiesen hecho un pacto con la muerte y un convenio con el infierno —como si hubiesen elevado una barrera insalvable e indestructible entre ellos y la venganza de Dios. Nada puede despertar sus temores. Se han sometido tan completamente al tentador, están tan ligados a él y tan dominados por su espíritu, que no tienen ni fuerza ni deseos para escapar de su lazo.

Satanás ha estado preparándose desde hace tiempo para su último esfuerzo para engañar al mundo. El cimiento de su obra lo puso en la afirmación que hiciera a Eva en el Edén: "De seguro que no moriréis". "En el día que comiereis de él, vuestros ojos serán abiertos, y seréis como Dios, conocedores del bien y del mal" (Génesis 3:4-5, V.M.). Poco a poco Satanás ha preparado el camino para su obra maestra de seducción: el desarrollo del espiritismo. Hasta ahora no ha logrado realizar completamente sus designios; pero lo conseguirá en el poco tiempo que nos separa del fin. El profeta dice: "Y vi... tres espíritus inmundos, como ranas: ... son espíritus de demonios, que obran prodigios; los cuales salen a los reyes de todo el mundo habitado, a juntarlos para la guerra del gran, día del Dios Todopoderoso" (Apocalipsis 16:13-14, V.M.). Todos menos los que estén protegidos por el poder de Dios y la fe en su Palabra, se verán envueltos en ese engaño. Los hombres se están dejando adormecer en una seguridad fatal y sólo despertarán cuando la ira de Dios se derrame sobre la tierra. Dios, el Señor, dice: "También pondré el juicio por cordel, y la justicia por plomada; y la granizada barrerá el refugio de mentiras, y las aguas arrebatarán vuestro escondrijo. Asimismo vuestro pacto con la muerte será anulado, y vuestro convenio con el infierno no quedará en pie cuando pasare el azote, cual torrente, vosotros seréis hollados de este invasor" (Isaías 28:17-18, V.M.).

49

LA LIBERTAD DE CONCIENCIA AMENAZADA

Los protestantes consideran hoy al romanismo con más favor que años atrás. En los países donde no predomina y donde los partidarios del papa siguen una política de conciliación para ganar influjo, se nota una indiferencia creciente respecto a las doctrinas que separan a las iglesias reformadas de la jerarquía papal; entre los protestantes está ganando terreno la opinión de que, al fin y al cabo, en los puntos vitales las divergencias no son tan grandes como se suponía, y que unas pequeñas concesiones de su parte los pondrían en mejor inteligencia con Roma. Tiempo hubo en que los protestantes estimaban altamente la libertad de conciencia adquirida a costa de tantos sacrificios. Enseñaban a sus hijos a tener en aborrecimiento al papado y sostenían que tratar de congeniar con Roma equivaldría a traicionar la causa de Dios. Pero ¡cuán diferentes son los sentimientos expresados hoy!

Los defensores del papado declaran que la iglesia ha sido calumniada, y el mundo protestante se inclina a creerlo. Muchos sostienen que es injusto juzgar a la iglesia de nuestros días por las abominaciones y los absurdos que la caracterizaron cuando dominaba en los siglos de ignorancia y de tinieblas. Tratan de excusar sus horribles crueldades como si fueran resultado de la barbarie de la época, y arguyen que las influencias de la civilización moderna han modificado los sentimientos de ella.

¿Habrán olvidado estas personas las pretensiones de infalibilidad sostenidas durante ochocientos años por tan altanero poder? Lejos de abandonar este aserto lo ha afirmado en el siglo XIX de un modo más positivo que nunca antes. Como Roma asegura que la iglesia *"nunca erró; ni errará jamás,* según las Escrituras" (Juan L. von Mosheim, *Institutes of Ecclesiastical History*, libro 3, siglo XI, parte 2, cap. 2, nota 17), ¿cómo podrá renunciar a los principios que amoldaron su conducta en las edades pasadas?

La iglesia papal no abandonará nunca su pretensión a la infalibilidad. Todo lo que ha hecho al perseguir a los que rechazaban sus dogmas lo da por santo y bueno; ¿y quién asegura que no volvería a las andadas siempre que se le presentase la oportunidad? Deróguense las medidas restrictivas impuestas en la actualidad por los gobiernos civiles y déjesele a Roma que recupere su antiguo poder y se verán resucitar en el acto su tiranía y sus persecuciones.

Un conocido autor dice, acerca de la actitud de la jerarquía papal hacia la libertad de conciencia y acerca de los peligros especiales que corren los Estados Unidos si tiene éxito la política de dicha jerarquía:

"Son muchos los que atribuyen al fanatismo o a la puerilidad todo temor expresado acerca del catolicismo romano en los Estados Unidos. Los tales no ven en el carácter y actitud del romanismo nada que sea hostil a nuestras libres instituciones, y no ven tampoco nada inquietante en el incremento de aquél. Comparemos, pues, primero, algunos de los principios fundamentales de nuestro gobierno con los de la iglesia católica.

"La Constitución de los Estados Unidos garantiza la *libertad de conciencia*. Nada hay más precioso ni de importancia tan fundamental. El papa Pío IX, en su encíclica del 15 de agosto de 1854, dice: 'Las doctrinas o extravagancias absurdas y erróneas en favor de la libertad de conciencia, son unos de los errores más pestilentes: una de las pestes que más se debe temer en un estado.' El mismo papa, en su encíclica del 8 de diciembre de 1864, anatematizó 'a los que sostienen la libertad de conciencia y de cultos' como también 'a cuantos aseveran que la iglesia no puede emplear la fuerza.'

"El tono pacífico que Roma emplea en los Estados Unidos no implica un cambio de sentimientos. Es tolerante cuando es impotente. El obispo O'Connor dice: 'La libertad religiosa se soporta tan sólo hasta que se pueda practicar lo opuesto sin peligro para el mundo católico'.... El arzobispo de Saint Louis dijo un día: 'La

herejía y la incredulidad son crímenes; y en los países cristianos como Italia y España, por ejemplo, donde todo el pueblo es católico y donde la religión católica es parte esencial de la ley del país, se las castiga como a los demás crímenes'.

"Todo cardenal, arzobispo y obispo de la iglesia católica, presta un juramento de obediencia al papa, en el cual se encuentran las siguientes palabras: "Me opondré a los herejes, cismáticos y rebeldes contra nuestro señor (el Papa), o sus sucesores y los perseguiré con todo mi poder"— Josías Strong, *Our Country*, cap. 5, párrs. 2-4.

Es verdad que hay verdaderos cristianos en la iglesia católica romana. En ella, millares de personas sirven a Dios según las mejores luces que tienen. Les es prohibido leer su Palabra,* debido a lo cual no pueden discernir la verdad. Nunca han visto el contraste que existe entre el culto o servicio vivo rendido con el corazón y una serie de meras formas y ceremonias. Dios mira con tierna misericordia a esas almas educadas en una fe engañosa e insuficiente. Hará penetrar rayos de luz a través de las tinieblas que las rodean. Les revelará la verdad tal cual es en Jesús y muchos se unirán aún a su pueblo.

Pero el romanismo, como sistema, no está actualmente más en armonía con el Evangelio de Cristo que en cualquier otro período de su historia. Las iglesias protestantes se hallan sumidas en grandes tinieblas, pues de lo contrario discernirían las señales de los tiempos. La iglesia romana abarca mucho en sus planes y modos de operación. Emplea toda clase de estratagemas para extender su influencia y aumentar su poder, mientras se prepara para una lucha violenta y resuelta a fin de recuperar el gobierno del mundo, restablecer las persecuciones y deshacer todo lo que el protestantismo ha hecho. El catolicismo está ganando terreno en todas direcciones. Véase el número creciente de sus iglesias y capillas en los países protestantes. Nótese en Norteamérica la popularidad de sus colegios y seminarios, tan patrocinados por los protestantes. Piénsese en la extensión del ritualismo en Inglaterra y en las frecuentes deserciones a las filas católicas. Estos hechos deberían inspirar ansiedad a todos los que aprecian los puros principios del Evangelio.

> *Bajo los rayos de luz que emite la cruz, el verdadero cristianismo se muestra tan puro y tan hermoso, que ninguna decoración exterior puede realzar su verdadero valor.*

Los protestantes se han entremetido con el papado y lo han patrocinado; han hecho transigencias y concesiones que sorprenden a los mismos papistas y les resultan incomprensibles. Los hombres cierran los ojos ante el verdadero carácter del romanismo, ante los peligros que hay que temer de su supremacía. Hay necesidad de despertar al pueblo para hacerle rechazar los avances de este enemigo peligrosísimo de la libertad civil y religiosa.

Muchos protestantes suponen que la religión católica no es atractiva y que su culto es una serie de ceremonias áridas y sin significado. Pero están equivocados. Si bien el romanismo se basa en el engaño, no es una impostura grosera ni desprovista de arte. El culto de la iglesia romana es un ceremonial que impresiona profundamente. Lo brillante de sus ostentaciones y la solemnidad de sus ritos fascinan los sentidos del pueblo y callan la voz de la razón y de la conciencia. Todo encanta a la vista. Sus soberbias iglesias, sus procesiones imponentes, sus altares de oro, sus relicarios de joyas, sus pinturas escogidas y sus exquisitas esculturas, todo apela al amor de la belleza. Al oído también se le cautiva. Su música no tiene igual. Los graves acordes del órgano poderoso, unidos a la melodía de numerosas voces que resuenan y repercuten por entre las elevadas naves y columnas de sus grandes catedrales, no pueden dejar de producir en los espíritus impresiones de respeto y reverencia.

Este esplendor, esta pompa y estas ceremonias exteriores, que no sirven más que para dejar burlados los anhelos de las almas enfermas de pecado, son clara evidencia de la corrupción interior. La religión de Cristo no necesita de tales atractivos para hacerse recomendable. Bajo los rayos de luz que emite la cruz, el verdadero cristianismo se muestra tan puro y tan hermoso, que ninguna decoración exterior puede realzar su verdadero valor. Es la hermosura de la santidad, o sea un espíritu manso y apacible, lo que tiene valor delante de Dios.

La brillantez del estilo no es necesariamente indicio de pensamientos puros y elevados. Encuéntranse a menudo conceptos del arte y refinamientos del gusto en espíritus carnales y sensuales. Satanás suele valerse a menudo de ellos para hacer olvidar a los hombres las necesidades del alma, para hacerles perder de vista la vida futura e inmortal, para alejarlos de su Salvador infinito e inducirlos a vivir para este mundo solamente.

Una religión de ceremonias exteriores es propia para atraer al corazón irregenerado. La pompa y el ceremonial del culto católico ejercen un poder seductor, fascinador, que engaña a muchas personas, las cuales llegan a considerar a la iglesia romana como la verdadera puerta del cielo. Sólo pueden resistir su influencia los que pisan con pie firme en el fundamento de la verdad y cuyos corazones han sido regenerados por el Espíritu de Dios. Millares de personas que no conocen por experiencia a Cristo, serán llevadas a aceptar las formas de una piedad sin poder. Semejante religión es, precisamente, lo que las multitudes desean.

El hecho de que la iglesia asevere tener el derecho de perdonar pecados induce a los romanistas a sentirse libres para pecar; y el mandamiento de la confesión sin la cual ella no otorga su perdón, tiende además a dar bríos al mal. El que se arrodilla ante un hombre caído y le expone en la confesión los pensamientos y deseos secretos de su corazón, rebaja su dignidad y degrada todos los nobles instintos de su alma. Al descubrir los pecados de su alma a un sacerdote -mortal desviado y pecador, y demasiado a menudo corrompido por el vino y la impureza- el hombre rebaja el nivel de su carácter y consecuentemente se corrompe. La idea que tenía de Dios resulta envilecida a semejanza de la humanidad caída, pues el sacerdote hace el papel de representante de Dios. Esta confesión degradante de hombre a hombre es la fuente secreta de la cual ha brotado gran parte del mal que está corrompiendo al mundo y lo está preparando para la destrucción final. Sin embargo, para todo aquel a quien le agrada satisfacer sus malas tendencias, es más fácil confesarse con un pobre mortal que abrir su alma a Dios. Es más grato a la naturaleza humana hacer penitencia que renunciar al pecado; es más fácil mortificar la carne usando cilicios, ortigas y cadenas desgarradoras que renunciar a los deseos carnales. Harto pesado es el yugo que el corazón carnal está dispuesto a cargar antes de doblegarse al yugo de Cristo.

Hay una semejanza sorprendente entre la iglesia de Roma y la iglesia judaica del tiempo del primer advenimiento de Cristo. Mientras los judíos pisoteaban secretamente todos los principios de la ley de Dios, en lo exterior eran estrictamente rigurosos en la observancia de los preceptos de ella, recargándola con exacciones y tradiciones que hacían difícil y pesado el cumplir con ella. Así como los judíos profesaban reverenciar la ley, así también los romanistas dicen reverenciar la cruz. Exaltan el símbolo de los sufrimientos de Cristo, al par que niegan con sus vidas a Aquel a quien ese símbolo representa.

Los papistas colocan la cruz sobre sus iglesias, sobre sus altares y sobre sus vestiduras. Por todas partes se ve la insignia de la cruz. Por todas partes se la honra y exalta exteriormente. Pero las enseñanzas de Cristo están sepultadas bajo un montón de tradiciones absurdas, interpretaciones falsas y exacciones rigurosas. Las palabras del Salvador respecto a los judíos hipócritas se aplican con mayor razón aún a los jefes de la iglesia católica romana: "Atan cargas pesadas y difíciles de llevar, y las ponen sobre los hombros de los hombres; pero ellos mismos no quieren moverlas con un dedo suyo" (S. Mateo 23:4, V.M.). Almas concienzudas quedan presa constante del terror, temiendo la ira de un Dios ofendido, mientras muchos de los dignatarios de la iglesia viven en el lujo y los placeres sensuales.

El culto de las imágenes y reliquias, la invocación de los santos y la exaltación del papa son artificios de Satanás para alejar de Dios y de su Hijo el espíritu del pueblo. Para asegurar su ruina, se esfuerza en distraer su atención del Único que puede asegurarles la salvación. Dirigirá las almas hacia cualquier objeto que pueda substituir a Aquel que dijo: "¡Venid a mí todos los que estáis cansados y agobiados, y yo os daré descanso!" (S. Mateo 11:28, V.M.).

Satanás se esfuerza siempre en presentar

de un modo falso el carácter de Dios, la naturaleza del pecado y las verdaderas consecuencias que tendrá la gran controversia. Sus sofismas debilitan el sentimiento de obligación para con la ley divina y dan a los hombres libertad para pecar. Al mismo tiempo les hace aceptar falsas ideas acerca de Dios, de suerte que le miran con temor y odio más bien que con amor. Atribuye al Creador la crueldad inherente a su propio carácter, la incorpora en sistemas religiosos y le da expresión en diversas formas de culto. Sucede así que las inteligencias de los hombres son cegadas y Satanás se vale de ellos como de sus agentes para hacer la guerra a Dios. Debido a conceptos erróneos de los atributos de Dios, las naciones paganas fueron inducidas a creer que los sacrificios humanos eran necesarios para asegurarse el favor divino; y perpetráronse horrendas crueldades bajo las diversas formas de la idolatría.

La iglesia católica romana, al unir las formas del paganismo con las del cristianismo, y al presentar el carácter de Dios bajo falsos colores, como lo presentaba el paganismo, recurrió a prácticas no menos crueles, horrorosas y repugnantes. En tiempo de la supremacía romana, había instrumentos de tortura para obligar a los hombres a aceptar sus doctrinas. Existía la hoguera para los que no querían hacer concesiones a sus exigencias. Hubo horribles matanzas de tal magnitud que nunca será conocida hasta que sea manifestada en el día del juicio. Dignatarios de la iglesia, dirigidos por su maestro Satanás, se afanaban por idear nuevos refinamientos de tortura que hicieran padecer lo indecible sin poner término a la vida de la víctima. En muchos casos el proceso infernal se repetía hasta los límites extremos de la resistencia humana, de manera que la naturaleza quedaba rendida y la víctima suspiraba por la muerte como por dulce alivio.

Tal era la suerte de los adversarios de Roma.

Para sus adherentes disponía de la disciplina del azote, del tormento del hambre y de la sed, y de las mortificaciones corporales más lastimeras que se puedan imaginar. Para asegurarse el favor del cielo, los penitentes violaban las leyes de Dios al violar las leyes de la naturaleza. Se les enseñaba a disolver los lazos que Dios instituyó para bendecir y amenizar la estada del hombre en la tierra. Los cementerios encierran millones de víctimas que se pasaron la vida luchando en vano para dominar los afectos naturales, para refrenar como ofensivos a Dios todo pensamiento y sentimiento de simpatía hacia sus semejantes.

Si deseamos comprender la resuelta crueldad de Satanás, manifestada en el curso de los siglos, no entre los que jamás oyeron hablar de Dios, sino en el corazón mismo de la cristiandad y por toda su extensión, no tenemos más que echar una mirada en la historia del romanismo. Por medio de ese gigantesco sistema de engaño, el príncipe del mal consigue su objeto de deshonrar a Dios y de hacer al hombre miserable. Y si consideramos lo bien que logra enmascararse y hacer su obra por medio de los jefes de la iglesia, nos daremos mejor cuenta del motivo de su antipatía por la Biblia. Siempre que sea leído este libro, la misericordia y el amor de Dios saltarán a la vista, y se echará de ver que Dios no impone a los hombres ninguna de aquellas pesadas cargas. Todo lo que él pide es un corazón contrito y un espíritu humilde y obediente.

Cristo no dio en su vida ningún ejemplo que autorice a los hombres y mujeres a encerrarse en monasterios so pretexto de prepararse para el cielo. Jamás enseñó que debían mutilarse los sentimientos de amor y simpatía. El corazón del Salvador rebosaba de amor. Cuanto más se acerca el hombre a la perfección moral, tanto más delicada es su sensibilidad, tanto más vivo su sentimiento del

pecado y tanto más profunda su simpatía por los afligidos. El papa dice ser el vicario de Cristo; ¿pero puede compararse su carácter con el de nuestro Salvador? ¿Vióse jamás a Cristo condenar hombres a la cárcel o al tormento porque se negaran a rendirle homenaje como Rey del cielo? ¿Acaso se le oyó condenar a muerte a los que no le aceptaban? Cuando fue menospreciado por los habitantes de un pueblo samaritano, el apóstol Juan se llenó de indignación y dijo: "Señor, ¿quieres que mandemos que descienda fuego del cielo, y los consuma, como hizo Elías?" Jesús miró a su discípulo con compasión y le reprendió por su aspereza, diciendo: "El Hijo del hombre no ha venido para perder las almas de los hombres, sino para salvarlas" (S. Lucas 9:54, 56). ¡Cuán diferente del de su pretendido vicario es el espíritu manifestado por Cristo!

La iglesia católica le pone actualmente al mundo una cara apacible, y presenta disculpas por sus horribles crueldades. Se ha puesto vestiduras como las de Cristo; pero en realidad no ha cambiado. Todos los principios formulados por el papismo en edades pasadas subsisten en nuestros días. Las doctrinas inventadas en los siglos más tenebrosos siguen profesándose aún. Nadie se engañe. El papado que los protestantes están ahora tan dispuestos a honrar, es el mismo que gobernaba al mundo en tiempos de la Reforma, cuando se levantaron hombres de Dios con peligro de sus vidas para denunciar la iniquidad de él. El romanismo sostiene las mismas orgullosas pretensiones con que supo dominar sobre reyes y príncipes y arrogarse las prerrogativas de Dios. Su espíritu no es hoy menos cruel ni despótico que cuando destruía la libertad humana y mataba a los santos del Altísimo.

El papado es precisamente lo que la profecía declaró que sería: la apostasía de los postreros días (2 Tesalonicenses 2:3-4). Forma parte de su política asumir el carácter que le permita realizar mejor sus fines; pero bajo la apariencia variable del camaleón oculta el mismo veneno de la serpiente. Declara: "No hay que guardar la palabra empeñada con herejes, ni con personas sospechosas de herejía". —Lenfant, *Histoire du Concile de Constance*, tomo 1, p. 493. ¿Será posible que este poder cuya historia se escribió durante mil años con la sangre de los santos, sea ahora reconocido como parte de la iglesia de Cristo?

No sin razón se ha asegurado que en los países protestantes el catolicismo no difiere ya tanto del protestantismo como antes. Se ha verificado un cambio; pero no es el papado el que ha cambiado. El catolicismo se parece mucho en verdad al protestantismo de hoy día debido a lo mucho que éste ha degenerado desde los días de los reformadores.

Mientras las iglesias protestantes han estado buscando el favor del mundo, una falsa caridad las ha cegado. Se figuran que es justo pensar bien de todo mal; y el resultado inevitable será que al fin pensarán mal de todo bien. En lugar de salir en defensa de la fe que fue dada antiguamente a los santos, no parecen sino disculparse ante Roma por haberla juzgado con tan poca caridad y pedirle perdón por la estrechez de miras que manifestaron.

Muchos, aun entre los que no favorecen al romanismo, se dan poca cuenta del peligro con que les amenaza el poder y la influencia de Roma. Insisten en que las tinieblas intelectuales y morales que prevalecían en la Edad Media favorecían la propagación de sus dogmas y supersticiones junto con la opresión, y que el mayor caudal de inteligencia de los tiempos modernos, la difusión general de conocimientos y la libertad siempre mayor en materia de religión, impiden el reavivamiento de la intolerancia y de la tiranía. Se ridiculiza la misma idea de que pudiera volver un estado de cosas semejante en nuestros tiempos de luces. Es verdad que sobre esta generación brilla mucha luz intelectual, moral y religiosa. De las páginas abiertas de la santa Palabra de Dios, ha brotado luz del cielo sobre la tierra. Pero no hay que olvidar que cuanto mayor sea la luz concedida, tanto más densas también son las tinieblas de aquellos que la pervierten o la rechazan.

Un estudio de la Biblia hecho con oración mostraría a los protestantes el verdadero carácter del papado y se lo haría aborrecer y rehuir; pero muchos son tan sabios en su propia opinión que no sienten ninguna necesidad de buscar humildemente a Dios para ser conducidos a la verdad. Aunque se enorgullecen de su ilustración, desconocen tanto las Sagradas Escrituras como el poder de Dios. Necesitan algo para calmar sus conciencias, y buscan lo que es menos espiritual y humillante. Lo que desean es un modo de olvidar a Dios, pero que parezca recordarlo. El papado responde perfectamente a las necesidades de todas esas personas. Es adecuado a dos clases de seres humanos que abarcan casi a todo el mundo: los que quisieran salvarse por sus méritos, y los que quisieran salvarse en sus pecados. Tal es el secreto de su poder.

Ha quedado probado cuánto favorecieron el éxito del papado los períodos de tinieblas intelectuales. También quedará demostrado que una época de grandes luces intelectuales es igualmente favorable a su triunfo. En otro tiempo, cuando los hombres no poseían la Palabra de Dios ni conocían la verdad, sus ojos estaban vendados y miles cayeron en la red que no veían tendida ante sus pies. En esta generación, son muchos aquellos cuyos ojos están ofuscados por el brillo de las especulaciones humanas, o sea por la "falsamente llamada ciencia;" no alcanzan a ver la red y caen en ella tan fácilmente como si tuviesen los ojos vendados. Dios dispuso

que las facultades intelectuales del hombre fuesen consideradas como don de su Creador y que fuesen empleadas en provecho de la verdad y de la justicia; pero cuando se fomenta el orgullo y la ambición y los hombres exaltan sus propias teorías por encima de la Palabra de Dios, entonces la inteligencia puede causar mayor perjuicio que la ignorancia. Por esto, la falsa ciencia de nuestros días, que mina la fe en la Biblia, preparará tan seguramente el camino para el triunfo del papado con su formalismo agradable, como el oscurantismo lo preparó para su engrandecimiento en la Edad Media.

En los movimientos que se realizan actualmente en los Estados Unidos de Norteamérica para asegurar el apoyo del estado a las instituciones y prácticas de la iglesia, los protestantes están siguiendo las huellas de los papistas. Más aún, están abriendo la puerta para que el papado recobre en la América protestante la supremacía que perdió en el Viejo Mundo. Y lo que da más significado a esta tendencia es la circunstancia de que el objeto principal que se tiene en vista es imponer la observancia del domingo, institución que vio la luz en Roma y que el papado proclama como signo de su autoridad. Es el espíritu del papado, es decir, el espíritu de conformidad con las costumbres mundanas, la mayor veneración por las tradiciones humanas que por los mandamientos de Dios, el que está penetrando en las iglesias protestantes e induciéndolas a hacer la misma obra de exaltación del domingo que el papado hizo antes que ellas.

Si el lector quiere saber cuáles son los medios que se emplearán en la contienda por venir, no tiene más que leer la descripción de los que Roma empleó con el mismo fin en siglos pasados. Si desea saber cómo los papistas unidos a los protestantes procederán con los que rechacen sus dogmas, considere el espíritu que

Roma manifestó contra el sábado y sus defensores.

Edictos reales, concilios generales y ordenanzas de la iglesia sostenidos por el poder civil fueron los peldaños por medio de los cuales el día de fiesta pagano alcanzó su puesto de honor en el mundo cristiano. La primera medida pública que impuso la observancia del domingo fue la ley promulgada por Constantino (Año 321 de J C.). Dicho edicto requería que los habitantes de las ciudades descansaran en "el venerable día del sol," pero permitía a los del campo que prosiguiesen sus faenas agrícolas. A pesar de ser en realidad ley pagana, fue impuesta por el emperador después que hubo aceptado nominalmente el cristianismo.

> *Edictos reales, concilios generales y ordenanzas de la iglesia sostenidos por el poder civil fueron los peldaños por medio de los cuales el día de fiesta pagano alcanzó su puesto de honor en el mundo cristiano.*

Como el mandato real no parecía sustituir de un modo suficiente la autoridad divina, Eusebio, obispo que buscó el favor de los príncipes y amigo íntimo y adulador especial de Constantino, aseveró que Cristo había transferido el día de reposo del sábado al domingo. No se pudo aducir una sola prueba de las Santas Escrituras en favor de la nueva doctrina. Eusebio mismo reconoce involuntariamente la falsedad de ella y señala a los verdaderos autores del cambio. "*Nosotros* hemos transferido al domingo, día del Señor —dice— todas las cosas que debían hacerse en el sábado" —Roberto Cox, *Sabbath Laws and Sabbath Duties*, p. 538. Pero por infundado que fuese el argumento en favor del domingo, sirvió para envalentonar a los hombres y animarlos a pisotear el sábado del Señor. Todos los que deseaban ser honrados por el mundo aceptaron el día festivo popular.

Con el afianzamiento del papado fue enalteciéndose más y más la institución del domingo. Por algún tiempo el pueblo siguió ocupándose en los trabajos agrícolas fuera de las horas de culto, y el séptimo día, o sábado, siguió siendo considerado como el día de reposo. Pero lenta y seguramente fue efectuándose el cambio. Se prohibió a los magistrados que fallaran en lo civil los domingos. Poco después se dispuso que todos sin distinción de clase social se abstuviesen del trabajo ordinario, so pena de multa para los señores y de azotes para los siervos. Más tarde se decretó que los ricos serían castigados con la pérdida de la mitad de sus bienes y que finalmente, si se obstinaban en desobedecer, se les hiciese esclavos. Los de las clases inferiores debían sufrir destierro perpetuo.

Se recurrió también a los milagros. Entre otros casos maravillosos, se refería que un campesino que iba a labrar su campo en día domingo limpió su arado con un hierro que le penetró en la mano, y por dos años enteros no lo pudo sacar, "sufriendo con ello mucho dolor y vergüenza" —Francisco West, *Historical and Practical Discourse on the Lord's Day*, p. 174.

Más tarde, el papa ordenó que los sacerdotes del campo amonestasen a los que violasen el domingo y los indujeran a venir a la iglesia para rezar, no fuese que atrajesen alguna gran calamidad sobre sí mismos y sobre sus vecinos. Un concilio eclesiástico adujo el argumento tan frecuentemente empleado desde entonces, y hasta por los protestantes, de que en vista de que algunas personas habían sido muertas por el rayo mientras trabajaban en día domingo, ése debía ser el día de reposo. "Es evidente -decían los prelados- cuán grande era el desagrado de Dios al verlos despreciar ese día". Luego se dirigió un llamamiento para que los sacerdotes y ministros, reyes y príncipes y todos los fieles "hicieran cuanto les fuera posible para que ese día fuese repuesto en su honor y para que fuese más devotamente observado en lo por venir, para honra de la cristiandad" —Tomás Morer, *Discourse in Six Dialogues on the Name, Notion, and Observation of the Lord's Day*, p. 271.

Como los decretos de los concilios resultaran insuficientes, se instó a las autoridades civiles a promulgar un edicto que inspirase terror al pueblo y le obligase a abstenerse de trabajar el domingo. En un sínodo reunido en Roma, todos los decretos anteriores fueron confirmados con mayor fuerza y solemnidad, incorporados en la ley eclesiástica y puestos en vigencia por las autoridades civiles en casi toda la cristiandad (Véase Heylyn, *History of the Sabbath*, parte 2, cap. 5, sec. 7).

A pesar de esto la falta de autoridad bíblica en favor de la observancia del domingo no originaba pocas dificultades. El pueblo ponía en tela de juicio el derecho de sus maestros para echar a un lado la declaración positiva de Jehová: "El séptimo día Sábado es del Señor tu Dios" a fin de honrar el día del sol. Se necesitaban otros expedientes para suplir la falta de testimonios bíblicos. Un celoso defensor del domingo que visitó a fines del siglo XII las iglesias de Inglaterra, encontró resistencia por parte de testigos fieles de la verdad; sus esfuerzos resultaron tan inútiles que abandonó el país por algún tiempo en busca de medios que le

permitiesen apoyar sus enseñanzas. Cuando regresó, la falta había sido suplida y entonces tuvo mayor éxito. Había traído consigo un rollo que presentaba como del mismo Dios, y que contenía el mandamiento que se necesitaba para la observancia del domingo, con terribles amenazas para aterrar a los desobedientes. Se afirmaba que ese precioso documento, fraude tan vil como la institución misma que pretendía afianzar, había caído del cielo y había sido encontrado en Jerusalén sobre el altar de San Simeón, en el Gólgota. Pero en realidad, de donde procedía era del palacio pontifical de Roma. La jerarquía papal consideró siempre como legítimos los fraudes y las adulteraciones que favoreciesen el poder y la prosperidad de la iglesia.

El rollo prohibía trabajar desde la hora novena (3 de la tarde) del sábado hasta la salida del sol el lunes; y su autoridad se declaraba confirmada por muchos milagros. Se decía que personas que habían trabajado más allá de la hora señalada habían sufrido ataques de parálisis. Un molinero que intentó moler su trigo vio salir en vez de harina un chorro de sangre y la rueda del molino se paró a pesar del buen caudal de agua. Una mujer que había puesto masa en el horno la encontró cruda al sacarla, no obstante haber estado el horno muy caliente. Otra que había preparado su masa para cocer el pan a la hora novena, pero resolvió ponerla a un lado hasta el lunes, la encontró convertida en panes y cocida por el poder divino. Un hombre que coció pan después de la novena hora del sábado, encontró, al partirlo por la mañana siguiente, que salía sangre de él. Mediante tales invenciones absurdas y supersticiosas fue cómo los abogados del domingo trataron de hacerlo sagrado (Véase Rogelio de Hoveden, *Annals*, tomo 2, pp. 528-530).

Tanto en Escocia como en Inglaterra se logró hacer respetar mejor el domingo mezclándolo en parte con el sábado antiguo. Pero variaba el tiempo que se debía guardar como sagrado. Un edicto del rey de Escocia declaraba que "se debía considerar como santo el sábado a partir del medio día" y que desde ese momento hasta el lunes nadie debía ocuparse en trabajos mundanos.— Morer, pp. 290-291.

Pero a pesar de todos los esfuerzos hechos para establecer la santidad del domingo, los mismos papistas confesaban públicamente la autoridad divina del sábado y el origen humano de la institución que lo había suplantado. En el siglo XVI un concilio papal ordenó explícitamente: "Recuerden todos los cristianos que el séptimo día fue consagrado por Dios y aceptado y observado no sólo por los judíos, sino también por todos los que querían adorar a Dios; no obstante nosotros los cristianos hemos cambiado el sábado de ellos en el día del Señor, domingo". —Id., p. 281-282. Los que estaban pisoteando la ley divina no ignoraban el carácter de la obra que estaban realizando. Se estaban colocando deliberadamente por encima de Dios.

Un ejemplo sorprendente de la política de Roma contra los que no concuerdan con ella se encuentra en la larga y sangrienta persecución de los valdenses, algunos de los cuales observaban el sábado. Otros sufrieron de modo parecido por su fidelidad al cuarto mandamiento. La historia de las iglesias de Etiopía, o Abisinia, es especialmente significativa. En medio de las tinieblas de la Edad Media, se perdió de vista a los cristianos del África central, quienes, olvidados del mundo, gozaron de plena libertad en el ejercicio de su fe. Pero al fin Roma descubrió su existencia y el emperador de Abisinia fue pronto inducido a reconocer al papa como vicario de Cristo. Esto fue principio de otras concesiones. Se proclamó un edicto que prohibía la observancia del sábado, bajo las penas más severas. (Véase Miguel Geddes, *Church History of Ethiopia*, pp. 311-312). Pero

la tiranía papal se convirtió luego en yugo tan amargo que los abisinios resolvieron sacudirlo. Después de una lucha terrible, los romanistas fueron expulsados de Abisinia y la antigua fe fue restablecida. Las iglesias se regocijaron en su libertad y no olvidaron jamás la lección que habían aprendido respecto al engaño, al fanatismo y al poder despótico de Roma. En medio de su reino aislado se sintieron felices de permanecer desconocidos para el resto de la cristiandad.

Las iglesias de África observaban el sábado como lo había observado la iglesia papal antes de su completa apostasía. Al mismo tiempo que guardaban el séptimo día en obediencia al mandamiento de Dios, se abstenían de trabajar el domingo conforme a la costumbre de la iglesia. Al lograr el poder supremo, Roma había pisoteado el día de reposo de Dios para enaltecer el suyo propio; pero las iglesias de África, desconocidas por cerca de mil años, no participaron de esta apostasía. Cuando cayeron bajo el cetro de Roma, fueron forzadas a dejar a un lado el verdadero día de reposo y a exaltar el falso; pero apenas recobraron su independencia volvieron a obedecer el cuarto mandamiento .

Estos recuerdos de lo pasado ponen claramente de manifiesto la enemistad de Roma contra el verdadero día de reposo y sus defensores, y los medios que emplea para honrar la institución creada por ella. La Palabra de Dios nos enseña que estas escenas han de repetirse cuando los católicos romanos y los protestantes se unan para exaltar el domingo.

La profecía del capítulo 13 del Apocalipsis declara que el poder representado por la bestia de cuernos semejantes a los de un cordero haría "que la tierra y los que en ella habitan" adorasen al papado - que está simbolizado en ese capítulo por una bestia "parecida a un leopardo". La bestia de dos cuernos dirá también "a los que habitan sobre la tierra, que hagan una imagen de la bestia;" y además mandará que "todos, pequeños y grandes, así ricos como pobres, así libres como esclavos," tengan la marca de la bestia (Apocalipsis 13:11-16, V.M.). Se ha demostrado que los Estados Unidos de Norteamérica son el poder representado por la bestia de dos cuernos semejantes a los de un cordero, y que esta profecía se cumplirá cuando los Estados Unidos hagan obligatoria la observancia del domingo, que Roma declara ser el signo característico de su supremacía. Pero los Estados Unidos no serán los únicos que rindan homenaje al papado. La influencia de

> *"Y vi una de sus cabezas como si hubiese sido herida de muerte; y su herida mortal fue sanada; y toda la tierra maravillóse, yendo en pos de la bestia" (vers. 3).*

Roma en los países que en otro tiempo reconocían su dominio, dista mucho de haber sido destruída. Y la profecía predice la restauración de su poder. "Y vi una de sus cabezas como si hubiese sido herida de muerte; y su herida mortal fue sanada; y toda la tierra maravillóse, yendo en pos de la bestia" (vers. 3). La herida mortal que le fue ocasionada se refiere a la caída del papado en 1798. Después

de eso, dice el profeta, "su herida mortal fue sanada; y toda la tierra maravillóse, yendo en pos de la bestia". San Pablo dice claramente que el hombre de pecado subsistirá hasta el segundo advenimiento (2 Tesalonicenses 2:8). Proseguirá su obra de engaño hasta el mismo fin del tiempo, y el revelador declara refiriéndose también al papado: "Todos los que moran en la tierra le adoraron, cuyos nombres no están escritos en el libro de la vida" (Apocalipsis 13:8). Tanto en el Viejo como en el Nuevo Mundo se le tributará homenaje al papado por medio del honor que se conferirá a la institución del domingo, la cual descansa únicamente sobre la autoridad de la iglesia romana.

Desde mediados del siglo XIX, los que estudian la profecía en los Estados Unidos han presentado este testimonio ante el mundo. En los acontecimientos que están desarrollándose actualmente, especialmente en dicho país, se ve un rápido avance hacia el cumplimiento de dichas predicciones. Los maestros protestantes presentan los mismos asertos de autoridad divina en favor de la observancia del domingo y adolecen de la misma falta de evidencias bíblicas que los dirigentes papales cuando fabricaban milagros para suplir la falta de un mandamiento de Dios. Se repetirá el aserto de que los juicios de Dios caerán sobre los hombres en castigo por no haber observado el domingo como día de reposo. Ya se oyen voces en este sentido. Y un movimiento en favor de la observancia obligatoria del domingo está ganando cada vez más terreno.

La sagacidad y astucia de la iglesia romana asombran. Puede leer el porvenir. Se da tiempo viendo que las iglesias protestantes le están rindiendo homenaje con la aceptación del falso día de reposo y que se preparan a imponerlo con los mismos medios que ella empleó en tiempos pasados. Los que rechazan la luz de la verdad buscarán aún la ayuda de este poder que se titula infalible, a fin de exaltar una institución que debe su origen a Roma. No es difícil prever cuán apresuradamente ella acudirá en ayuda de los protestantes en este movimiento. ¿Quién mejor que los jefes papistas para saber cómo entendérselas con los que desobedecen a la iglesia?

La iglesia católica romana, con todas sus ramificaciones en el mundo entero, forma una vasta organización dirigida por la sede papal, y destinada a servir a los intereses de ésta. Instruye a sus millones de adeptos en todos los países del globo, para que se consideren obligados a obedecer al papa. Sea cual fuere la nacionalidad o el gobierno de éstos, deben considerar la autoridad de la iglesia como por encima de todas las demás. Aunque juren fidelidad al estado, siempre quedará en el fondo el voto de obediencia a Roma que los absuelve de toda promesa contraria a los intereses de ella.

La historia prueba lo astuta y persistente que es en sus esfuerzos por inmiscuirse en los asuntos de las naciones, y para favorecer sus propios fines, aun a costa de la ruina de príncipes y pueblos, una vez que logró entrar. En el año 1204, el papa Inocencio III arrancó de Pedro II, rey de Aragón, este juramento extraordinario: "Yo, Pedro, rey de los aragoneses, declaro y prometo ser siempre fiel y obediente a mi señor, el papa Inocencio, a sus sucesores católicos y a la iglesia romana, y conservar mi reino en su obediencia, defendiendo la religión católica y persiguiendo la perversidad herética" —Juan Dowling, *The History of Romanism*, lib. 5, cap. 6, sec. 55. Esto está en armonía con las pretensiones del pontífice romano con referencia al poder, de que "él tiene derecho de deponer emperadores" y de que "puede desligar a los súbditos de la lealtad debida a gobernantes perversos"—Mosheim, lib. 3, siglo II, parte 2, cap. 2, sec. 2, nota 17.

Y téngase presente que Roma se jacta de no variar jamás. Los principios de Gregorio VII y de Inocencio III son aún los principios de la iglesia católica romana; y si sólo tuviese el poder, los pondría en vigor con tanta fuerza hoy como en siglos pasados. Poco saben los protestantes lo que están haciendo al proponerse aceptar la ayuda de Roma en la tarea de exaltar el domingo. Mientras ellos tratan de realizar su propósito, Roma tiene su mira puesta en el restablecimiento de su poder, y tiende a recuperar su supremacía perdida. Establézcase en los Estados Unidos el principio de que la iglesia puede emplear o dirigir el poder del estado; que las leyes civiles pueden hacer obligatorias las observancias religiosas; en una palabra, que la autoridad de la iglesia con la del estado debe dominar las conciencias, y el triunfo de Roma quedará asegurado en la gran República de la América del Norte.

La Palabra de Dios ha dado advertencias respecto a tan inminente peligro; descuide estos avisos y el mundo protestante sabrá cuáles son los verdaderos propósitos de Roma, pero ya será tarde para salir de la trampa. Roma está aumentando sigilosamente su poder. Sus doctrinas están ejerciendo su influencia en las cámaras legislativas, en las iglesias y en los corazones de los hombres. Ya está levantando sus soberbios e imponentes edificios en cuyos secretos recintos reanudará sus antiguas persecuciones. Está acumulando ocultamente sus fuerzas y sin despertar sospechas para alcanzar sus propios fines y para dar el golpe en su debido tiempo. Todo lo que Roma desea es asegurarse alguna ventaja, y ésta ya le ha sido concedida. Pronto veremos y palparemos los propósitos del romanismo. Cualquiera que crea u obedezca a la Palabra de Dios incurrirá en oprobio y persecución.

El Conflicto Inminente

DESDE el origen de la gran controversia en el cielo, el propósito de Satanás ha consistido en destruir la ley de Dios. Para realizarlo se rebeló contra el Creador y, aunque expulsado del cielo, continuó la misma lucha en la tierra. Engañar a los hombres para inducirlos luego a transgredir la ley de Dios, tal fue el objeto que persiguió sin cejar. Sea esto conseguido haciendo a un lado toda la ley o descuidando uno de sus preceptos, el resultado será finalmente el mismo. El que peca "en un solo punto" manifiesta menosprecio por toda la ley; su influencia y su ejemplo están del lado de la transgresión; y viene a ser "culpado de todos" los puntos de la ley (Santiago 2:10).

En su afán por desacreditar los preceptos divinos, Satanás pervirtió las doctrinas de la Biblia, de suerte que se incorporaron errores en la fe de millares de personas que profesan creer en las Santas Escrituras. El último gran conflicto entre la verdad y el error no es más que la última batalla de la controversia que se viene desarrollando desde hace tanto tiempo con respecto a la ley de Dios. En esta batalla estamos entrando ahora; es la que se libra entre las leyes de los hombres y los preceptos de Jehová, entre la religión de la Biblia y la religión de las fábulas y de la tradición.

Los elementos que se coligarán en esta lucha contra la verdad y la justicia, están ya obrando activamente. La Palabra santa de Dios que nos ha sido transmitida a costa de tanto padecimiento, de tanta sangre de los mártires, no es apreciada debidamente. La Biblia está al alcance de todos, pero pocos son los que la aceptan verdaderamente por guía de la vida. La incredulidad predomina de modo alarmante, no sólo en el mundo sino también en la iglesia. Muchos han llegado al punto de negar doctrinas que son el fundamento mismo de la fe cristiana. Los grandes hechos de la creación como los presentan los escritores inspirados, la caída del hombre, la expiación y el carácter perpetuo de la ley de Dios son en realidad rechazados entera o parcialmente por gran número de los que profesan ser cristianos. Miles de personas que

THE LAW

I

II

III

IV

V

VI

VII

VIII

IX

X

se envanecen de su sabiduría y de su espíritu independiente, consideran como una debilidad el tener fe implícita en la Biblia; piensan que es prueba de talento superior y científico argumentar con las Sagradas Escrituras y espiritualizar y eliminar sus más importantes verdades. Muchos ministros enseñan a sus congregaciones y muchos profesores y doctores dicen a sus estudiantes que la ley de Dios ha sido cambiada o abrogada, y a los que tienen los requerimientos de ella por válidos y dignos de ser obedecidos literalmente, se los considera como merecedores tan sólo de burla o desprecio.

Al rechazar la verdad, los hombres rechazan al Autor de ella. Al pisotear la ley de Dios, se niega la autoridad del Legislador. Es tan fácil hacer un ídolo de las falsas doctrinas y teorías como tallar un ídolo de madera o piedra. Al representar falsamente los atributos de Dios, Satanás induce a los hombres a que se formen un falso concepto con respecto a él. Muchos han entronizado un ídolo filosófico en lugar de Jehová, mientras que el Dios viviente, tal cual está revelado en su Palabra, en Cristo y en las obras de la creación, no es adorado más que por un número relativamente pequeño. Miles y miles deifican la naturaleza al paso que niegan al Dios de ella. Aunque en forma diferente, la idolatría existe en el mundo cristiano de hoy tan ciertamente como existió entre el antiguo Israel en tiempos de Elías. El Dios de muchos así llamados sabios, o filósofos, poetas, políticos, periodistas —el Dios de los círculos selectos y a la moda, de muchos colegios y universidades y hasta de muchos centros de teología— no es mucho mejor que Baal, el dios-sol de los fenicios.

Ninguno de los errores aceptados por el mundo cristiano ataca más atrevidamente la autoridad de Dios, ninguno está en tan abierta oposición con las enseñanzas de la razón, ninguno es de tan perniciosos resultados como

la doctrina moderna que tanto cunde, de que la ley de Dios ya no es más de carácter obligatorio para los hombres. Toda nación tiene sus leyes que exigen respeto y obediencia; ningún gobierno podría subsistir sin ellas; ¿y es posible imaginarse que el Creador del cielo y de la tierra no tenga ley alguna para gobernar los seres a los cuales creó? Supongamos que los ministros más eminentes se pusiesen a predicar que las leyes

> *Al rechazar la verdad, los hombres rechazan al Autor de ella. Al pisotear la ley de Dios, se niega la autoridad del Legislador. Es tan fácil hacer un ídolo de las falsas doctrinas y teorías como tallar un ídolo de madera o piedra.*

que gobiernan a su país y amparan los derechos de los ciudadanos no estaban más en vigencia, que por coartar las libertades del pueblo ya no se les debe obediencia. ¿Por cuánto tiempo se tolerarían semejantes prédicas? ¿Pero es acaso mayor ofensa desdeñar las leyes de los estados y de las naciones que pisotear los preceptos divinos, que son el fundamento de todo gobierno?

Más acertado sería que las naciones aboliesen sus estatutos y dejaran al pueblo hacer lo que quisiese, antes de que el Legislador del universo anulase su ley y dejase al mundo sin norma para condenar al culpable o justificar al obediente. ¿Queremos saber cuál sería el resultado de la abolición de la ley de Dios? El experimento se ha hecho ya. Terribles fueron las escenas que se desarrollaron en Francia cuando el ateísmo ejerció el poder. Entonces el mundo vio que rechazar las restricciones que Dios impuso equivale a aceptar el gobierno de los más crueles y despóticos. Cuando se echa a un lado la norma de justicia, queda abierto el camino para que el príncipe del mal establezca su poder en la tierra.

> *Siempre que se rechazan los preceptos divinos, el pecado deja de parecer culpa y la justicia deja de ser deseable. Los que se niegan a someterse al gobierno de Dios son completamente incapaces de gobernarse a sí mismos.*

Siempre que se rechazan los preceptos divinos, el pecado deja de parecer culpa y la justicia deja de ser deseable. Los que se niegan a someterse al gobierno de Dios son completamente incapaces de gobernarse a sí mismos. Debido a sus enseñanzas perniciosas, se implanta el espíritu de insubordinación en el corazón de los niños y jóvenes, de suyo insubordinados, y se obtiene como resultado un estado social donde la anarquía reina soberana. Al paso que se burlan de la credulidad de los que obedecen las exigencias de Dios, las multi-

tudes aceptan con avidez los engaños de Satanás. Se entregan a sus deseos desordenados y practican los pecados que acarrearon los juicios de Dios sobre los paganos.

Los que le enseñan al pueblo a considerar superficialmente los mandamientos de Dios, siembran la desobediencia para recoger desobediencia. Rechácense enteramente los límites impuestos por la ley divina y pronto se despreciarán las leyes humanas. Los hombres están dispuestos a pisotear la ley de Dios por considerarla como un obstáculo para su prosperidad material, porque ella prohibe las prácticas deshonestas, la codicia, la mentira y el fraude; pero ellos no se imaginan lo que resultaría de la abolición de los preceptos divinos. Si la ley no tuviera fuerza alguna ¿por qué habría de temerse el transgredirla? La propiedad ya no estaría segura. Cada cual se apoderaría por la fuerza de los bienes de su vecino, y el más fuerte se haría el más rico. Ni siquiera se respetaría la vida. La institución del matrimonio dejaría de ser baluarte sagrado para la protección de la familia. El que pudiera, si así lo desease, tomaría la mujer de su vecino. El quinto mandamiento sería puesto a un lado junto con el cuarto. Los hijos no vacilarían en atentar contra la vida de sus padres, si al hacerlo pudiesen satisfacer los deseos de sus corazones corrompidos. El mundo civilizado se convertiría en una horda de ladrones y asesinos, y la paz, la tranquilidad y la dicha desaparecerían de la tierra.

La doctrina de que los hombres no están obligados a obedecer los mandamientos de Dios ha debilitado ya el sentimiento de la responsabilidad moral y ha abierto anchas las compuertas para que la iniquidad aniegue el mundo. La licencia, la disipación y la corrupción nos invaden como ola abrumadora. Satanás está trabajando en el seno de las familias. Su bandera flota hasta en los hogares de los que profesan ser cristianos. En ellos se ven la envidia, las sospechas, la hipocresía, la frialdad, la rivalidad, las disputas, las traiciones y el desenfreno de los apetitos. Todo el sistema de doctrinas y principios religiosos que deberían formar el fundamento y marco de la vida social, parece una mole tambaleante a punto de desmoronarse en ruinas. Los más viles criminales, echados en la cárcel por sus delitos, son a menudo objeto de atenciones y obsequios como si hubiesen llegado a un envidiable grado de distinción. Se da gran publicidad a las particularidades de su carácter y a sus crímenes. La prensa publica los detalles escandalosos del vicio, iniciando así a otros en la práctica del fraude, del robo y del asesinato, y Satanás se regocija del éxito de sus infernales designios. La infatuación del vicio, la criminalidad, el terrible incremento de la intemperancia y de la iniquidad, en toda forma y grado, deberían llamar la atención de todos los que temen a Dios para que vieran lo que podría hacerse para contener el desborde del mal.

Los tribunales están corrompidos. Los magistrados se dejan llevar por el deseo de las ganancias y el afán de los placeres sensuales. La intemperancia ha obcecado las facultades de muchos, de suerte que Satanás los dirige casi a su gusto. Los juristas se dejan pervertir, sobornar y engañar. La embriaguez y las orgías, la pasión, la envidia, la mala fe bajo todas sus formas se encuentran entre los que administran las leyes. "La justicia se mantiene a lo lejos, por cuanto la verdad está caída en la calle, y la rectitud no puede entrar" (Isaías 59:14, V.M.).

La iniquidad y las tinieblas espirituales que prevalecieron bajo la supremacía papal fueron resultado inevitable de la supresión de las Sagradas Escrituras. ¿Pero dónde está la causa de la incredulidad general, del rechazamiento de la ley de Dios y de la corrupción consiguiente bajo el pleno resplandor de la luz del Evangelio en esta época de libertad religiosa? Ahora que

Satanás no puede gobernar al mundo negándole las Escrituras, recurre a otros medios para alcanzar el mismo objeto. Destruir la fe en la Biblia responde tan bien a sus designios como destruir la Biblia misma. Insinuando la creencia de que la ley de Dios no es obligatoria, empuja a los hombres a transgredirla tan seguramente como si ignorasen los preceptos de ella. Y ahora, como en tiempos pasados, obra por intermedio de la iglesia para promover sus fines. Las organizaciones religiosas de nuestros días se han negado a prestar atención a las verdades impopulares claramente enseñadas en las Santas Escrituras, y al combatirlas, han adoptado interpretaciones y asumido actitudes que han sembrado al vuelo las semillas del escepticismo. Aferrándose al error papal de la inmortalidad natural del alma y al del estado consciente de los muertos, han rechazado la única defensa posible contra los engaños del espiritismo. La doctrina de los tormentos eternos ha inducido a muchos a dudar de la Biblia. Y cuando se le presenta al pueblo la obligación de observar el cuarto mandamiento, se ve que ordena reposar en el séptimo día; y como único medio de librarse de un deber que no desean cumplir, muchos de los maestros populares declaran que la ley de Dios no está ya en vigencia. De este modo rechazan al mismo tiempo la ley y el sábado. A medida que adelante la reforma respecto del sábado, esta manera de rechazar la ley divina para evitar la obediencia al cuarto mandamiento se volverá casi universal. Las doctrinas de los caudillos religiosos han abierto la puerta a la incredulidad, al espiritismo y al desprecio de la santa ley de Dios, y sobre ellos descansa una terrible responsabilidad por la iniquidad que existe en el mundo cristiano.

Sin embargo, esa misma clase de gente asegura que la corrupción que se va generalizando más y más, debe achacarse en gran parte a la violación del así llamado "día del

Señor" (domingo), y que si se hiciese obligatoria la observancia de este día, mejoraría en gran manera la moralidad social. Esto se sostiene especialmente en los Estados Unidos de Norteamérica, donde la doctrina del verdadero día de reposo, o sea el sábado, se ha predicado con más amplitud que en ninguna otra parte. En dicho país la obra de la temperancia que es una de las reformas morales más importantes, va a menudo combinada con el movimiento en favor del domingo, y los defensores de éste actúan como si estuviesen trabajando para promover los más altos intereses de la sociedad; de suerte que los que se niegan a unirse con ellos son denunciados como enemigos de la temperancia y de las reformas. Pero la circunstancia de que un movimiento encaminado a establecer un error esté ligado con una obra buena en sí misma, no es un argumento en favor del error. Podemos encubrir un veneno mezclándolo con un alimento sano pero no por eso cambiamos su naturaleza. Por el contrario, lo hacemos más peligroso, pues se lo tomará con menos recelo. Una de las trampas de Satanás consiste en mezclar con el error una porción suficiente de verdad para cohonestar aquél. Los jefes del movimiento en favor del domingo pueden propagar reformas que el pueblo necesita, principios que estén en armonía con la Biblia; pero mientras mezclen con ellas algún requisito en pugna con la ley de Dios, los siervos de Dios no pueden unirse a ellos. Nada puede autorizarnos a rechazar los mandamientos de Dios para adoptar los preceptos de los hombres.

Merced a los dos errores capitales, el de la inmortalidad del alma y el de la santidad del domingo, Satanás prenderá a los hombres en sus redes. Mientras aquél forma la base del espiritismo, éste crea un lazo de simpatía con Roma. Los protestantes de los Estados Unidos serán los primeros en tender las manos a través de un doble abismo al espiritismo y al poder romano; y bajo la influencia de esta triple alianza ese país marchará en las huellas de Roma, pisoteando los derechos de la conciencia.

En la medida en que el espiritismo imita más de cerca al cristianismo nominal de nuestros días, tiene también mayor poder para engañar y seducir. De acuerdo con el pensar moderno, Satanás mismo se ha convertido. Se manifestará bajo la forma de un ángel de luz. Por medio del espiritismo han de cumplirse milagros, los enfermos sanarán, y se realizarán muchos prodigios innegables. Y como los espíritus profesarán creer en la Biblia y manifestarán respeto por las instituciones de la iglesia, su obra será aceptada como manifestación del poder divino.

La línea de separación entre los que profesan ser cristianos y los impíos es actualmente apenas perceptible. Los miembros de las iglesias aman lo que el mundo ama y están listos para unirse con ellos; Satanás tiene resuelto unirlos en un solo cuerpo y de este modo robustecer su causa atrayéndolos a todos a las filas del espiritismo. Los papistas, que se jactan de sus milagros como signo cierto de que su iglesia es la verdadera, serán fácilmente engañados por este poder maravilloso, y los protestantes, que han arrojado de sí el escudo de la verdad, serán igualmente seducidos. Los papistas, los protestantes y los mundanos aceptarán igualmente la forma de la piedad sin el poder de ella, y verán en esta unión un gran movimiento para la conversión del mundo y el comienzo del milenio tan largamente esperado.

El espiritismo hace aparecer a Satanás como benefactor de la raza humana, que sana las enfermedades del pueblo y profesa presentar un sistema religioso nuevo y más elevado; pero al mismo tiempo obra como destructor. Sus tentaciones arrastran a multitudes a la ruina. La intemperancia destrona la razón, los placeres sensuales, las disputas y los crímenes la siguen.

Satanás se deleita en la guerra, que despierta las más viles pasiones del alma, y arroja luego a sus víctimas, sumidas en el vicio y en la sangre, a la eternidad. Su objeto consiste en hostigar a las naciones a hacerse mutuamente la guerra; pues de este modo puede distraer los espíritus de los hombres de la obra de preparación necesaria para subsistir en el día del Señor.

> *Al par que se hace pasar ante los hijos de los hombres como un gran médico que puede curar todas sus enfermedades, Satanás producirá enfermedades y desastres al punto que ciudades populosas sean reducidas a ruinas y desolación.*

Satanás obra asimismo por medio de los elementos para cosechar muchedumbres de almas aún no preparadas. Tiene estudiados los secretos de los laboratorios de la naturaleza y emplea todo su poder para dirigir los elementos en cuanto Dios se lo permita. Cuando se le dejó que afligiera a Job, ¡cuán prestamente fueron destruídos rebaños, ganado, sirvientes, casas e hijos, en una serie de desgracias, obra de un momento! Es Dios quien protege a sus criaturas y las guarda del poder del destructor. Pero el mundo cristiano ha manifestado su menosprecio de la ley de Jehová, y el Señor hará exactamente lo que declaró que haría: alejará sus bendiciones de la tierra y retirará su cuidado protector de sobre los que se rebelan contra su ley y que

enseñan y obligan a los demás a hacer lo mismo. Satanás ejerce dominio sobre todos aquellos a quienes Dios no guarda en forma especial. Favorecerá y hará prosperar a algunos para obtener sus fines, y atraerá desgracias sobre otros, al mismo tiempo que hará creer a los hombres que es Dios quien los aflige.

Al par que se hace pasar ante los hijos de los hombres como un gran médico que puede curar todas sus enfermedades, Satanás producirá enfermedades y desastres al punto que ciudades populosas sean reducidas a ruinas y desolación. Ahora mismo está obrando. Ejerce su poder en todos los lugares y bajo mil formas: en las desgracias y calamidades de mar y tierra, en las grandes conflagraciones, en los tremendos huracanes y en las terribles tempestades de granizo, en las inundaciones, en los ciclones, en las mareas extraordinarias y en los terremotos. Destruye las mieses casi maduras y a ello siguen la hambruna y la angustia; propaga por el aire emanaciones mefíticas y miles de seres perecen en la pestilencia. Estas plagas irán menudeando más y más y se harán más y más desastrosas. La destrucción caerá sobre hombres y animales. "La tierra se pone de luto y se marchita," "desfallece la gente encumbrada de la tierra. La tierra también es profanada bajo sus habitantes; porque traspasaron la ley, cambiaron el estatuto, y quebrantaron el pacto eterno" (Isaías 24:4-5, V.M.).

Y luego el gran engañador persuadirá a los hombres de que son los que sirven a Dios los que causan esos males. La parte de la humanidad que haya provocado el desagrado de Dios lo cargará a la cuenta de aquellos cuya obediencia a los mandamientos divinos es una reconvención perpetua para los transgresores. Se declarará que los hombres ofenden a Dios al violar el descanso del domingo; que este pecado ha atraído calamidades que no concluirán hasta que la observancia del domingo no sea estrictamente obligatoria; y que los que proclaman la vigencia del cuarto mandamiento, haciendo con ello que se pierda el respeto debido al domingo y rechazando el favor divino, turban al pueblo y alejan la prosperidad temporal. Y así se repetirá la acusación hecha antiguamente al siervo de Dios y por motivos de la misma índole: "Y sucedió, luego que Acab vio a Elías, que le dijo Acab: ¿Estás tú aquí, perturbador de Israel? A lo que respondió: No he perturbado yo a Israel, sino tú y la casa de tu padre, por haber dejado los mandamientos de Jehová, y haber seguido a los Baales" (1 Reyes 18:17-18, V.M.). Cuando con falsos cargos se haya despertado la ira del pueblo, éste seguirá con los embajadores de Dios una conducta muy parecida a la que siguió el apóstata Israel con Elías.

El poder milagroso que se manifiesta en el espiritismo ejercerá su influencia en perjuicio de los que prefieren obedecer a Dios antes que a los hombres. Habrá comunicaciones de espíritus que declararán que Dios los envió para convencer de su error a los que rechazan el domingo y afirmarán que se debe obedecer a las leyes del país como a la ley de Dios. Lamentarán la gran maldad existente en el mundo y apoyarán el testimonio de los ministros de la religión en el sentido de que la degradación moral se debe a la profanación del domingo. Grande será la indignación despertada contra todos los que se nieguen a aceptar sus aseveraciones.

La política de Satanás en este conflicto final con el pueblo de Dios es la misma que la seguida por él al principio de la gran controversia en el cielo. Hacía como si procurase la estabilidad del gobierno divino, mientras que por lo bajo hacía cuanto podía por derribarlo y acusaba a los ángeles fieles de esa misma obra que estaba así tratando de realizar. La misma política de engaño caracteriza la historia de la iglesia romana. Ha profesado actuar como representante del cielo, mientras trataba de elevarse por encima de Dios y de mudar su ley. Bajo el reinado de Roma, los que sufrieron la muerte por causa de su fidelidad al Evangelio fueron denunciados como malhechores; se los declaró en liga con Satanás, y se emplearon cuantos medios se pudo para cubrirlos de oprobio y hacerlos pasar ante los ojos del pueblo y ante ellos mismos por los más viles criminales. Otro tanto sucederá ahora. Mientras Satanás trata de destruir a los que honran la ley de Dios, los hará acusar como transgresores de la ley, como hombres que están deshonrando a Dios y atrayendo sus castigos sobre el mundo.

Dios no violenta nunca la conciencia; pero Satanás recurre constantemente a la violencia para dominar a aquellos a quienes no puede seducir de otro modo. Por medio del temor o de la fuerza procura regir la conciencia y hacerse tributar homenaje. Para conseguir esto, obra por medio de las autoridades religiosas y civiles y las induce a que impongan leyes humanas contrarias a la ley de Dios.

Los que honran el sábado de la Biblia serán denunciados como enemigos de la ley y del orden, como quebrantadores de las restricciones morales de la sociedad, y por lo tanto causantes de anarquía y corrupción que atraen sobre la tierra los altos juicios de Dios. Sus escrúpulos de conciencia serán presentados como obstinación, terquedad y rebeldía contra la autoridad. Serán acusados de deslealtad hacia el gobierno. Los ministros que niegan la obligación de observar la ley divina predicarán desde el púlpito que hay que obedecer a las autoridades civiles porque fueron instituídas por Dios. En las asambleas legislativas y en los tribunales se calumniará y condenará a los que guardan los mandamientos. Se falsearán sus palabras, y se atribuirán a sus móviles las peores intenciones.

A medida que las iglesias protestantes rechacen los argumentos claros de la Biblia en defensa de la ley de Dios, desearán imponer silencio a aquellos cuya fe no pueden rebatir con la Biblia. Aunque se nieguen a verlo, el hecho es que están asumiendo actualmente una actitud que dará por resultado la persecución de los que se niegan en conciencia a hacer lo que el resto del mundo cristiano está haciendo y a reconocer los asertos hechos en favor del día de reposo papal.

Los dignatarios de la iglesia y del estado se unirán para hacer que todos honren el domingo, y para ello apelarán al cohecho, a la persuasión o a la fuerza. La falta de autoridad divina se suplirá con ordenanzas abrumadoras. La corrupción política está destruyendo el amor a la justicia y el respeto a la verdad; y hasta en los Estados Unidos de la libre América, se verá a los representantes del pueblo y a los legisladores tratar de asegurarse el favor público doblegándose a las exigencias populares por una ley que imponga la observancia del domingo. La libertad de conciencia que tantos sacrificios ha costado no será ya respetada. En el conflicto que está por estallar veremos realizarse las palabras del profeta: "Airóse el dragón contra la mujer, y se fue para hacer guerra contra el residuo de su simiente, los que guardan los mandamientos de Dios, y tienen el testimonio de Jesús" (Apocalipsis 12:17, V.M.).

NUESTRA ÚNICA SALVAGUARDIA

A LA ley y al testimonio! si no hablaren conforme a esta palabra, son aquellos para quienes no ha amanecido" (Isaías 8:20, V.M.). Al pueblo de Dios se le indica que busque en las Sagradas Escrituras su salvaguardia contra las influencias de los falsos maestros y el poder seductor de los espíritus tenebrosos. Satanás emplea cuantos medios puede para impedir que los hombres conozcan la Biblia, cuyo claro lenguaje revela sus engaños. En ocasión de cada avivamiento de la obra de Dios, el príncipe del mal actúa con mayor energía; en la actualidad está haciendo esfuerzos desesperados preparándose para la lucha final contra Cristo y sus discípulos. El último gran engaño se desplegará pronto ante nosotros. El Anticristo va a efectuar ante nuestra vista obras maravillosas. El contrahacimiento se asemejará tanto a la realidad, que será imposible distinguirlos sin el auxilio de las Santas Escrituras. Ellas son las que deben atestiguar en favor o en contra de toda declaración, de todo milagro.

Se hará oposición y se ridiculizará a los que traten de obedecer a todos los mandamientos de Dios. Ellos no podrán subsistir sino en Dios. Para poder soportar la prueba que les espera deben comprender la voluntad de Dios tal cual está revelada en su Palabra, pues no pueden honrarle sino en la medida del conocimiento que tengan de su carácter, gobierno y propósitos divinos y en la medida en que obren conforme a las luces que les hayan sido concedidas. Sólo los que hayan fortalecido su espíritu con las verdades de la Biblia podrán resistir en el último gran conflicto. Toda alma ha de pasar por la prueba decisiva: ¿Obedeceré a Dios antes que a los hombres? La hora crítica se acerca. ¿Hemos asentado los pies en la roca de la inmutable Palabra de Dios? ¿Estamos preparados para defender firmemente los mandamientos de Dios y la fe de Jesús?

Antes de la crucifixión, el Salvador había predicho a sus discípulos que iba a ser muerto y que resucitaría del sepulcro, y hubo ángeles presentes para grabar esas palabras en las mentes y en los corazones. Pero los discípulos esperaban la liberación política del yugo romano y no podían tolerar la idea de que Aquel en quien todas sus esperanzas estaban concentradas, fuese a sufrir una muerte ignominiosa. Desterraron de su mente las palabras que necesitaban recordar, y cuando llegó el momento de prueba, los encontró sin la debida preparación. La muerte de Jesús destruyó sus esperanzas igual que si no se la hubiese predicho. Así también las profecías nos anuncian el porvenir con la misma claridad con que Cristo predijo su propia muerte a los discípulos. Los acontecimientos relacionados con el fin del tiempo de gracia y la preparación para el tiempo de angustia han sido presentados con claridad. Pero hay miles de personas que comprenden estas importantes verdades de modo tan incompleto como si nunca hubiesen sido reveladas. Satanás procura arrebatar toda impresión que podría llevar a los hombres por el camino de la salvación, y el tiempo de angustia no los encontrará listos.

Cuando Dios manda a los hombres avisos tan importantes que las profecías los representan como proclamados por santos ángeles que vuelan por el cielo, es porque él exige que toda persona dotada de inteligencia les preste atención. Los terribles juicios que Dios pronunció contra los que adoran la bestia y su imagen (Apocalipsis 14:9-11) deberían inducir a todos a estudiar diligentemente las profecías para saber lo que es la marca de la bestia y cómo pueden evitarla. Pero las muchedumbres cierran los oídos a la verdad y prefieren fábulas. El apóstol Pablo, refiriéndose a los últimos días, dijo: "Porque vendrá tiempo cuando no sufrirán la sana doctrina" (2 Timoteo 4:3). Ya hemos entrado de lleno en ese tiempo. Las multitudes se niegan a recibir las verdades bíblicas porque éstas contrarían los deseos de los corazones pecaminosos y mundanos; y Satanás les proporciona los engaños en que se complacen.

Pero Dios tendrá en la tierra un pueblo que sostendrá la Biblia y la Biblia sola, como piedra de toque de todas las doctrinas y base de todas las reformas. Ni las opiniones de los sabios, ni las deducciones de la ciencia, ni los credos o decisiones de concilios tan numerosos y discordantes como lo son las iglesias que representan, ni la voz de las mayorías, nada de esto, ni en conjunto ni en parte, debe ser considerado como evidencia en favor o en contra de cualquier punto de fe religiosa. Antes de aceptar cualquier doctrina o precepto debemos cerciorarnos de si los autoriza un categórico "Así dice Jehová".

Los terribles juicios que Dios pronunció contra los que adoran la bestia y su imagen (Apocalipsis 14:9-11) deberían inducir a todos a estudiar diligentemente las profecías para saber lo que es la marca de la bestia y cómo pueden evitarla.

Satanás trata continuamente de atraer la atención hacia los hombres en lugar de atraerla hacia Dios. Hace que el pueblo considere como sus guías a los obispos, pastores y profesores de teología, en vez de estudiar las Escrituras para saber por sí mismo cuáles son sus deberes. Dirigiendo luego la inteligencia de esos mismos guías, puede entonces también encaminar las multitudes a su voluntad.

Cuando Cristo vino a predicar palabras de

vida, el vulgo le oía con gozo y muchos, hasta de entre los sacerdotes y gobernantes, creyeron en él. Pero los principales de los sacerdotes y los jefes de la nación estaban resueltos a condenar y rechazar sus enseñanzas. A pesar de salir frustrados todos sus esfuerzos para encontrar en él motivos de acusación, a pesar de que no podían dejar de sentir la influencia del poder y sabiduría divinos que acompañaban sus palabras, se encastillaron en sus prejuicios y repudiaron la evidencia más clara del carácter mesiánico de Jesús, para no verse obligados a hacerse sus discípulos. Estos opositores de Jesús eran hombres a quienes el pueblo había aprendido desde la infancia a reverenciar y ante cuya autoridad estaba acostumbrado a someterse implícitamente. "¿Cómo es posible —se preguntaban— que nuestros gobernantes y nuestros sabios escribas no crean en Jesús? ¿Sería posible que hombres tan piadosos no le aceptaran si fuese el Cristo?" Y fue la influencia de estos maestros la que indujo a la nación judía a rechazar a su Redentor.

El espíritu que animaba a aquellos sacerdotes y gobernantes anima aún a muchos que pretenden ser muy piadosos. Se niegan a examinar el testimonio que las Sagradas Escrituras contienen respecto a las verdades especiales para la época actual. Llaman la atención del pueblo al número de sus adeptos, su riqueza y su popularidad, y desdeñan a los defensores de la verdad que por cierto son pocos, pobres e impopulares y cuya fe los separa del mundo.

Cristo previó que las pretensiones de autoridad desmedida de los escribas y fariseos no habían de desaparecer con la dispersión de los judíos. Con mirada profética vio que la autoridad humana se encumbraría para dominar las conciencias en la forma que ha dado tan desgraciados resultados para la iglesia en todos los siglos. Y sus terribles acusaciones contra los escribas y fariseos y sus amonestaciones al pueblo a que no siguiera a esos ciegos conductores fueron consignadas como advertencia para las generaciones futuras.

La iglesia romana reserva al clero el derecho de interpretar las Santas Escrituras, y so pretexto de que sólo los eclesiásticos son competentes para explicar la Palabra de Dios, priva de ella al pueblo. Aun cuando la Reforma hizo las Escrituras accesibles a todos, este mismo principio sustentado por Roma es el que hoy impide a miles y miles en las iglesias protestantes que las estudien por sí mismos. Se les enseña a aceptar sus doctrinas *tal cual las interpreta la iglesia*; y hay millares de personas que no admiten nada, por evidente que sea su revelación en las Sagradas Escrituras, si resulta en oposición con su credo o con las enseñanzas adoptadas por sus respectivas iglesias.

A pesar de estar la Biblia llena de amonestaciones contra los falsos maestros, muchos encomiendan al clero el cuidado de sus almas. Hay actualmente millares de personas que profesan ser religiosas y que no pueden dar acerca de los puntos de su fe, otra razón que el hecho de que así les enseñaron sus directores espirituales. No se fijan casi en las enseñanzas del Salvador y creen en cambio ciegamente a lo que los ministros dicen. ¿Pero son acaso infalibles estos ministros? ¿Cómo podemos confiar nuestras almas a su dirección, mientras no sepamos por la Palabra de Dios que ellos poseen la verdad? Muchos son los que, faltos de valor moral para apartarse del sendero trillado del mundo, siguen los pasos de los doctos; y debido a su aversión para investigar por sí mismos, se están enredando más y más en las cadenas del error. Ven que la verdad para el tiempo presente está claramente expuesta en la Biblia y sienten que el poder del Espíritu Santo confirma su proclamación, y sin embargo consienten que la oposición del clero los aleje de la luz. Por muy convencidas que estén la razón y la conciencia, estos pobres ilusos no se atreven a pensar de otro modo que como los ministros, y sacrifican su juicio individual y sus intereses eternos al descreimiento, orgullo y prejuicios de otra persona.

Muchos son los artificios de que Satanás se vale para encadenar a sus cautivos por medio de las influencias humanas. Él se asegura la voluntad de multitudes atándolas con los lazos de seda de sus afectos a los enemigos de la cruz de Cristo. Sea cual fuere esta unión: paternal, filial, conyugal o social, el efecto es el mismo: los enemigos de la verdad ejercen un poder que tiende a dominar la conciencia, y las almas sometidas a su autoridad no tienen valor ni espíritu independiente suficientes para seguir sus propias convicciones acerca del deber.

La verdad y la gloria de Dios son inseparables, y nos es imposible honrar a Dios con opiniones erróneas cuando tenemos la Biblia a nuestro alcance. Muchos sostienen que no importa lo que uno cree, siempre que su conducta sea buena. Pero la vida es modelada por la fe. Si teniendo la luz y la verdad a nuestro alcance, no procuramos conocerla, de hecho la rechazamos y preferimos las tinieblas a la luz.

"Hay camino que parece derecho al hombre, mas su salida son caminos de muerte" (Proverbios 16:25). La ignorancia no disculpa el error ni el pecado, cuando se tiene toda oportunidad de conocer la voluntad de Dios. Tomemos el caso de un hombre que estando de viaje llega a un punto de donde arrancan varios caminos en direcciones indicadas en un poste. Si no se fija en éste y escoge el camino que mejor le parezca, por sincero que sea, es más que probable que errará el rumbo.

Dios nos ha dado su Palabra para que conozcamos sus enseñanzas y sepamos por nosotros mismos lo que él exige de nosotros. Cuando el doctor de la ley preguntó a Jesús:

"¿Haciendo qué cosa, poseeré la vida eterna?" el Señor lo remitió a las Sagradas Escrituras, diciendo: "¿Qué está escrito en la ley? ¿cómo lees?" La ignorancia no excusará ni a jóvenes ni a viejos, ni los librará tampoco del castigo que corresponde a la infracción de la ley de Dios, pues tienen a la mano una exposición fiel de dicha ley, de sus principios y de lo que ella exige del hombre. No basta tener buenas intenciones; no basta tampoco hacer lo que se cree justo o lo que los ministros dicen serlo. La salvación de nuestra alma está en juego y debemos escudriñar por nuestra cuenta las Santas Escrituras. Por arraigadas que sean las convicciones de un hombre, por muy seguro que esté de que el pastor sabe lo que es verdad, nada de esto debe servirle de fundamento. El tiene un mapa en el cual van consignadas todas las indicaciones del camino para el cielo y no tiene por qué hacer conjeturas.

El primero y más alto deber de toda criatura racional es el de escudriñar la verdad en las Sagradas Escrituras y luego andar en la luz y exhortar a otros a que sigan su ejemplo. Día tras día deberíamos estudiar diligentemente la Biblia, pesando cada pensamiento y comparando texto con texto. Con la ayuda de Dios debemos formarnos nuestras propias opiniones ya que tenemos que responder a Dios por nosotros mismos.

Las verdades que se encuentran explicadas con la mayor claridad en la Biblia han sido envueltas en dudas y oscuridad por hombres doctos, que con ínfulas de gran sabiduría enseñan que las Escrituras tienen un sentido místico, secreto y espiritual que no se echa de ver en el lenguaje empleado en ellas. Esos hombres son falsos maestros. Fue a personas semejantes a quienes Jesús declaró: "No conocéis las Escrituras, ni el poder de Dios" (S. Marcos 12:24, V.M.). El lenguaje de la Biblia debe explicarse de acuerdo con su significado manifiesto, a no ser que se trate de un símbolo o figura. Cristo prometió: "Si alguno quisiere hacer su voluntad [del Padre], conocerá de mi enseñanza, si es de Dios" (S. Juan 7:17, V.M.). Si los hombres quisieran tan sólo aceptar lo que la Biblia dice, y si no hubiera falsos maestros para alucinar y confundir las inteligencias, se realizaría una obra que alegraría a los ángeles y que traería al rebaño de Cristo a miles y miles de almas actualmente sumidas en el error.

Deberíamos ejercitar en el estudio de las Santas Escrituras todas las fuerzas del entendimiento y procurar comprender, hasta donde es posible a los mortales, las profundas enseñanzas de Dios; pero no debemos olvidar que la disposición del estudiante debe ser dócil y sumisa como la de un niño. Las dificultades bíblicas no pueden ser resueltas por los mismos métodos que se emplean cuando se trata de problemas filosóficos. No deberíamos ponernos a estudiar la Biblia con esa confianza en nosotros mismos con la cual tantos abordan los dominios de la ciencia, sino en el espíritu de oración y dependencia filial hacia Dios y con un deseo sincero de conocer su voluntad. Debemos acercarnos con espíritu humilde y dócil para obtener conocimiento del gran YO SOY. De lo contrario vendrán ángeles malos a oscurecer nuestras mentes y a endurecer nuestros corazones al punto que la verdad ya no nos impresionará.

Más de una porción de las Sagradas Escrituras que los eruditos declaran ser un misterio o que estiman de poca importancia, está llena de consuelo e instrucción para el que estudió en la escuela de Cristo. Si muchos teólogos no comprenden mejor la Palabra de Dios, es por la sencilla razón de que cierran los ojos con respecto a unas verdades que no desean poner en práctica. La comprensión de las verdades bíblicas no depende tanto de la potencia intelectual aplicada a la investigación como de la sinceridad de propósitos y del ardiente anhelo de justicia que animan al estudiante.

> *No deberíamos ponernos a estudiar la Biblia con esa confianza en nosotros mismos con la cual tantos abordan los dominios de la ciencia, sino en el espíritu de oración y dependencia filial hacia Dios y con un deseo sincero de conocer su voluntad.*

Nunca se debería estudiar la Biblia sin oración. Sólo el Espíritu Santo puede hacernos sentir la importancia de lo que es fácil comprender, o impedir que nos apartemos del sentido de las verdades de difícil comprensión. Hay santos ángeles que tienen la misión de influir en los corazones para que comprendan la Palabra de Dios, de suerte que la belleza de ésta nos embelese, sus advertencias nos amonesten y sus promesas nos animen y vigoricen. Deberíamos hacer nuestra la petición del salmista: "¡Abre mis ojos, para que yo vea las maravillas de tu ley!" (Salmo 119:18, V.M.). Muchas veces las tentaciones parecen irresistibles, y es porque se ha descuidado la oración y el estudio de la Biblia, y por ende no se pueden recordar luego las promesas de Dios ni oponerse a Satanás con las armas de las Santas Escrituras. Pero los ángeles rodean a los que tienen deseos de aprender cosas divinas, y en situaciones graves traerán a su memoria las verdades que necesitan. "Porque vendrá el enemigo como río, mas el Espíritu de Jehová levantará bandera contra él" (Isaías 59:19).

Jesús prometió a sus discípulos "el Consolador, es decir, el Espíritu Santo, a quien —dijo— el Padre enviará en mi nombre," y agregó: "El os enseñará todas las cosas, y os recordará todo cuanto os he dicho" (S. Juan 14:26, V.M.). Pero primero es preciso que las enseñanzas de Cristo hayan sido atesoradas en el entendimiento, si queremos que el Espíritu de Dios nos las recuerde en el momento de peligro. "En mi corazón he guardado tus dichos, para no pecar contra ti" (Salmo 119:11).

Todos los que estiman en lo que valen sus intereses eternos deben mantenerse en guardia contra las incursiones del escepticismo. Hasta los fundamentos de la verdad serán socavados. Es imposible ponerse a cubierto de los sarcasmos y sofismas y de las enseñanzas insidiosas y pestilentes de la incredulidad moderna. Satanás adapta sus tentaciones a todas las clases. Asalta a los indoctos con una burla o una mirada de desprecio, mientras que se acerca a la gente instruída con objeciones científicas y razonamientos filosóficos propios para despertar desconfianza o desprecio hacia las Sagradas Escrituras. Hasta los jóvenes de poca experiencia se atreven a insinuar dudas respecto a los principios fundamentales del cristianismo. Y esta incredulidad juvenil, por superficial que sea, no deja de ejercer su influencia. Muchos se dejan arrastrar así al punto de mofarse de la piedad de sus padres y desafían al Espíritu de gracia (Hebreos 10:29). Muchos cuya vida daba promesa de honrar a Dios y de beneficiar al mundo, se han marchitado bajo el soplo contaminado de la incredulidad. Todos los que fían en los dictámenes jactanciosos de la razón humana y se imaginan poder explicar los misterios divinos y llegar al conocimiento de la verdad sin el auxilio de la sabiduría de Dios, están presos en las redes de Satanás.

Vivimos en el período más solemne de la historia de este mundo. La suerte de las innumerables multitudes que pueblan la tierra está por decidirse. Tanto nuestra dicha futura como la salvación de otras almas dependen de nuestra conducta actual. Necesitamos ser guiados por el Espíritu de Verdad. Todo discípulo de Cristo debe preguntar seriamente: "¿Señor, qué quieres que haga?" Necesitamos humillarnos ante el Señor, ayunar, orar y meditar mucho en su Palabra, especialmente acerca de las escenas del juicio. Debemos tratar de adquirir actualmente una experiencia profunda y viva en las cosas de Dios, sin perder un solo instante. En torno nuestro se están cumpliendo acontecimientos de vital importancia; nos encontramos en el terreno encantado de Satanás. No durmáis, centinelas de Dios, que el enemigo está emboscado, listo para lanzarse sobre vosotros y haceros su presa en cualquier momento en que caigáis en descuido y somnolencia.

Muchos se engañan con respecto a su verdadera condición ante Dios. Se felicitan por los actos reprensibles que no cometen, y se olvidan de enumerar las obras buenas y nobles que Dios requiere, pero que ellos descuidan de hacer. No basta que sean árboles en el huerto del Señor. Deben corresponder a lo que Dios espera de ellos, llevando frutos. Dios los hace responsables de todo el bien que podrían haber realizado, sostenidos por su gracia. En los libros del cielo sus nombres figuran entre los que ocupan inútilmente el suelo. Sin embargo, aun el caso de tales personas no es del todo desesperado. El Dios de paciencia y amor se empeña en atraer aún a los que han despreciado su gracia y desdeñado su misericordia. "Por lo cual se dice: Despiértate tú que duermes, y levántate de los muertos, y te alumbrará Cristo.

Mirad, pues, cómo andéis avisadamente; ... redimiendo el tiempo, porque los días son malos" (Efesios 5:14-16).

Cuando llegue el tiempo de la prueba, los que hayan seguido la Palabra de Dios como regla de conducta, serán dados a conocer. En verano no hay diferencia notable entre los árboles de hojas perennes y los que las pierden; pero cuando vienen los vientos de invierno los primeros permanecen verdes en tanto que los otros pierden su follaje. Así puede también que no sea dado distinguir actualmente a los falsos creyentes de los verdaderos cristianos, pero pronto llegará el tiempo en que la diferencia saltará a la vista. Dejad que la oposición se levante, que el fanatismo y la intolerancia vuelvan a empuñar el cetro, que el espíritu de persecución se encienda, y entonces los tibios e hipócritas vacilarán y abandonarán la fe; pero el verdadero cristiano permanecerá firme como una roca, con más fe y esperanza que en días de prosperidad.

El salmista dice: "Tus testimonios son mi meditación". "De tus mandamientos he adquirido inteligencia: por tanto he aborrecido todo camino de mentira" (Salmo 119:99, 104).

"Bienaventurado el hombre que halla la sabiduría". "Porque él será como el árbol plantado junto a las aguas, que junto a la corriente echará sus raíces, y no verá cuando viniere el calor, sino que su hoja estará verde; y en el año de sequía no se fatigará, ni dejará de hacer fruto" (Proverbios 3:13; Jeremías 17:8).

EL TIEMPO DE ANGUSTIA

"Y EN aquel tiempo se levantará Miguel, el gran príncipe que está por los hijos de tu pueblo; y será tiempo de angustia, cual nunca fue después que hubo gente hasta entonces: mas en aquel tiempo será libertado tu pueblo, todos los que se hallaren escritos en el libro" (Daniel 12:1).

Cuando termine el mensaje del tercer ángel la misericordia divina no intercederá más por los habitantes culpables de la tierra. El pueblo de Dios habrá cumplido su obra; habrá recibido "la lluvia tardía," el "refrigerio de la presencia del Señor," y estará preparado para la hora de prueba que le espera. Los ángeles se apuran, van y vienen de acá para allá en el cielo. Un ángel que regresa de la tierra anuncia que su obra está terminada; el mundo ha sido sometido a la prueba final, y todos los que han resultado fieles a los preceptos divinos han recibido "el sello del Dios vivo". Entonces Jesús dejará de interceder en el santuario celestial. Levantará sus manos y con gran voz dirá "Hecho es," y todas las huestes de los ángeles depositarán sus coronas mientras él anuncia en tono solemne: "¡El que es injusto, sea injusto aún; y el que es sucio, sea sucio aún; y el que es justo, sea justo aún; y el que es santo, sea aún santo!" (Apocalipsis 22:11, V.M.). Cada caso ha sido fallado para vida o para muerte. Cristo ha hecho propiciación por su pueblo y borrado sus pecados. El número de sus súbditos está completo; "el reino, y el señorío y la majestad de los reinos debajo de todo el cielo" van a ser dados a los herederos de la salvación y Jesús va a reinar como Rey de reyes y Señor de señores.

Cuando él abandone el santuario, las tinieblas envolverán a los habitantes de la tierra. Durante ese tiempo terrible, los justos deben vivir sin intercesor, a la vista del santo Dios. Nada refrena ya a los malos y Satanás domina por completo a los impenitentes empedernidos. La paciencia de Dios ha concluido. El mundo ha rechazado su misericordia, despreciado su amor y pisoteado su ley. Los impíos han dejado concluir su tiempo de gracia; el Espíritu de Dios, al que se opusieran obstinadamente, acabó por apartarse de ellos. Desamparados ya de la gracia divina, están a merced de Satanás, el cual sumirá entonces a los habitantes de la tierra en una gran tribulación final. Cuando los ángeles de Dios dejen ya de contener los vientos violentos de las pasiones humanas, todos los elementos de contención se desencadenarán. El mundo entero será envuelto en una ruina más espantosa que la que cayó antiguamente sobre Jerusalén.

El poder que acompañe la última amonestación enfurecerá a los malvados; su ira se ensañará contra todos los que hayan recibido el mensaje, y Satanás despertará el espíritu de odio y persecución en un grado de intensidad aún mayor.

Un solo ángel dio muerte a todos los primogénitos de los egipcios y llenó al país de duelo. Cuando David ofendió a Dios al tomar censo del pueblo, un ángel causó la terrible mortandad con la cual fue castigado su pecado. El mismo poder destructor ejercido por santos ángeles cuando Dios se lo ordena, lo ejercerán los ángeles malvados cuando él lo permita. Hay fuerzas actualmente listas que no esperan más que el permiso divino para sembrar la desolación por todas partes.

Los que honran la ley de Dios han sido acusados de atraer los castigos de Dios sobre la tierra, y se los mirará como si fueran causa de las terribles convulsiones de la naturaleza y de las luchas sangrientas entre los hombres, que llenarán la tierra de aflicción. El poder que acompañe la última amonestación enfurecerá a los malvados; su ira se ensañará contra todos los que hayan recibido el mensaje, y Satanás despertará el espíritu de odio y persecución en un grado de intensidad aún mayor.

Cuando la presencia de Dios se retiró de la nación judía, tanto los sacerdotes como el pueblo lo ignoraron. Aunque bajo el dominio de Satanás y arrastrados por las pasiones más horribles y malignas, creían ser todavía el pueblo escogido de Dios. Los servicios del templo seguían su curso; se ofrecían sacrificios en los altares profanados, y cada día se invocaba la bendición divina sobre un pueblo culpable de la sangre del Hijo amado de Dios y que trataba de matar a sus ministros y apóstoles. Así también, cuando la decisión irrevocable del santuario haya sido pronunciada y el destino del mundo haya sido determinado para siempre, los habitantes de la tierra no lo sabrán. Las formas de la religión seguirán en vigor entre las muchedumbres de en medio de las cuales el Espíritu de Dios se habrá retirado finalmente; y el celo satánico con el cual el príncipe del mal ha de inspirarlas para que cumplan sus crueles designios, se asemejará al celo por Dios.

Una vez que el sábado llegue a ser el punto especial de controversia en toda la cristiandad y las autoridades religiosas y civiles se unan para imponer la observancia del domingo, la negativa persistente, por parte de una pequeña minoría, de ceder a la exigencia popular, la convertirá en objeto de execración universal. Se demandará con insistencia que no se tolere a los pocos que se oponen a una institución de la iglesia y a una ley del estado; pues vale más que esos pocos sufran y no que naciones enteras sean precipitadas a la confusión y anarquía. Este mismo argumento fue presentado contra Cristo

hace mil ochocientos años por los "príncipes del pueblo". "Nos conviene —dijo el astuto Caifás— que un hombre muera por el pueblo, y no que toda la nación se pierda" (S. Juan 11:50). Este argumento parecerá concluyente y finalmente se expedirá contra todos los que santifiquen el sábado un decreto que los declare merecedores de las penas más severas y autorice al pueblo para que, pasado cierto tiempo, los mate. El romanismo en el Viejo Mundo y el protestantismo apóstata en la América del Norte actuarán de la misma manera contra los que honren todos los preceptos divinos.

El pueblo de Dios se verá entonces sumido en las escenas de aflicción y angustia descritas por el profeta y llamadas el tiempo de la apretura de Jacob: "Porque así ha dicho Jehová: Hemos oído voz de temblor: espanto, y no paz..., Hanse tornado pálidos todos los rostros. ¡Ah, cuán grande es aquel día! tanto, que no hay otro semejante a él: tiempo de angustia para Jacob; mas de ella será librado" (Jeremías 30:5-7).

La noche de la aflicción de Jacob, cuando luchó en oración para ser librado de manos de Esaú (Génesis 32:24-30), representa la prueba por la que pasará el pueblo de Dios en el tiempo de angustia. Debido al engaño practicado para asegurarse la bendición que su padre intentaba dar a Esaú, Jacob había huído para salvar su vida, atemorizado por las amenazas de muerte que profería su hermano. Después de haber permanecido muchos años en el destierro, se puso en camino por mandato de Dios para regresar a su país, con sus mujeres, sus hijos, sus rebaños y sus ganados. Al acercarse a los términos del país se llenó de terror al tener noticia de que Esaú se acercaba al frente de una compañía de guerreros, sin duda para vengarse de él. Los que acompañaban a Jacob, sin armas e indefensos, parecían destinados a caer irremisiblemente víctimas de la violencia y la matanza. A esta angustia y a este temor que lo tenían abatido se agregaba el peso abrumador de los reproches que se hacía a sí mismo; pues era su propio pecado el que le había puesto a él y a los suyos en semejante trance. Su única esperanza se cifraba en la misericordia de Dios; su único amparo debía ser la oración. Sin embargo, hizo cuanto estuvo de su parte para dar reparación a su hermano por el agravio que le había inferido y para evitar el peligro que le amenazaba. Así deberán hacer los discípulos de Cristo al acercarse el tiempo de angustia: procurar que el mundo los conozca bien, a fin de desarmar los prejuicios y evitar los peligros que amenazan la libertad de conciencia.

Después de haber despedido a su familia para que no presenciara su angustia, Jacob permaneció solo para interceder con Dios. Confiesa su pecado y reconoce agradecido la bondad de Dios para con él, a la vez que humillándose profundamente invoca en su favor el pacto hecho con sus padres y las promesas que le fueran hechas a él mismo en su visión en Bethel y en tierra extraña. Llegó la hora crítica de su vida; todo está en peligro. En las tinieblas y en la soledad sigue orando y humillándose ante Dios. De pronto una mano se apoya en su hombro. Se le figura que un enemigo va a matarle, y con toda la energía de la desesperación lucha con él. Cuando el día empieza a rayar, el desconocido hace uso de su poder sobrenatural; al sentir su toque, el hombre fuerte parece quedar paralizado y cae, impotente, tembloroso y suplicante, sobre el cuello de su misterioso antagonista. Jacob sabe entonces que es con el ángel de la alianza con quien ha luchado. Aunque incapacitado y presa de los más agudos dolores, no ceja en su propósito. Durante mucho tiempo ha sufrido perplejidades, remordimientos y angustia a causa de su pecado; ahora debe obtener la seguridad de que ha sido perdonado. El visitante celestial parece estar por marcharse; pero Jacob se aferra a él y le pide su bendición.

El ángel le insta: "¡Suéltame, que ya raya el alba!" pero el patriarca exclama: "No te soltaré hasta que me hayas bendecido". ¡Qué confianza, qué firmeza y qué perseverancia las de Jacob! Si estas palabras le hubiesen sido dictadas por el orgullo y la presunción, Jacob hubiera caído muerto; pero lo que se las inspiraba era más bien la seguridad del que confiesa su flaqueza e indignidad, y sin embargo confía en la misericordia de un Dios que cumple su pacto.

"Luchó con el Ángel, y prevaleció" (Oseas 12:4, V.M.). Mediante la humillación, el arrepentimiento y la sumisión, aquel mortal pecador y sujeto al error, prevaleció sobre la Majestad del cielo. Se aferró tembloroso a las promesas de Dios, y el Amor infinito no pudo rechazar la súplica del pecador. Como señal de su triunfo y como estímulo para que otros imitasen su ejemplo, se le cambió el nombre; en lugar del que recordaba su pecado, recibió otro que conmemoraba su victoria. Y al prevalecer Jacob con Dios, obtuvo la garantía de que prevalecería al luchar con los hombres. Ya no temía arrostrar la ira de su hermano; pues el Señor era su defensa.

Satanás había acusado a Jacob ante los ángeles de Dios y pretendía tener derecho a destruirle por causa de su pecado; había inducido a Esaú a que marchase contra él, y durante la larga noche de lucha del patriarca, Satanás procuró embargarle con el sentimiento de su culpabilidad para desanimarlo y apartarlo de Dios. Jacob fue casi empujado a la desesperación; pero sabía que sin la ayuda de Dios perecería. Se había arrepentido sinceramente de su gran pecado, y apelaba a la misericordia de Dios. No se dejó desviar de su propósito, sino que se adhirió firmemente al ángel e hizo su petición con ardientes clamores de agonía, hasta que prevaleció.

Así como Satanás influyó en Esaú para que marchase contra Jacob, así también instigará a los malos para que destruyan al pueblo de Dios en el tiempo de angustia. Como acusó a Jacob, acusará también al pueblo de Dios. Cuenta a las multitudes del mundo entre sus súbditos, pero la pequeña compañía de los que guardan los mandamientos de Dios resiste a su pretensión a la supremacía. Si pudiese hacerlos desaparecer de la tierra, su triunfo sería completo. Ve que los ángeles protegen a los que guardan los mandamientos e infiere que sus pecados les han sido perdonados; pero no sabe que la suerte de cada uno de ellos ha sido resuelta en el santuario celestial. Tiene conocimiento exacto de los pecados que les ha hecho cometer y los presenta ante Dios con la mayor exageración y asegurando que esa gente es tan merecedora como él mismo de ser excluída del favor de Dios. Declara que en justicia el Señor no puede perdonar los pecados de ellos y destruirle al mismo tiempo a él y a sus ángeles. Los reclama como presa suya y pide que le sean entregados para destruirlos.

Mientras Satanás acusa al pueblo de Dios haciendo hincapié en sus pecados, el Señor le permite probarlos hasta el extremo. La confianza de ellos en Dios, su fe y su firmeza serán rigurosamente probadas. El recuerdo de su pasado hará decaer sus esperanzas; pues es poco el bien que pueden ver en toda su vida. Reconocen plenamente su debilidad e indignidad. Satanás trata de aterrorizarlos con la idea de que su caso es desesperado, de que las manchas de su impureza no serán jamás lavadas. Espera así aniquilar su fe, hacerles ceder a sus tentaciones y alejarlos de Dios.

Aun cuando los hijos de Dios se ven rodeados de enemigos que tratan de destruirlos, la angustia que sufren no procede del temor de ser perseguidos a causa de la verdad; lo que temen es no haberse arrepentido de cada pecado y que debido a alguna falta por ellos cometida no puedan ver realizada en ellos la promesa del Salvador: "Yo también te guardaré de la hora de prueba que ha de venir sobre todo el mundo" (Apocalipsis 3:10, V.M.). Si pudiesen tener la seguridad del perdón, no retrocederían ante las torturas ni la muerte; pero si fuesen reconocidos indignos de perdón y hubiesen de perder la vida a causa de sus propios defectos de carácter, entonces el santo nombre de Dios sería vituperado.

De todos lados oyen hablar de conspiraciones y traiciones y observan la actividad amenazante de la rebelión. Eso hace nacer en ellos un deseo intensísimo de ver acabarse la apostasía y de que la maldad de los impíos llegue a su fin. Pero mientras piden a Dios que detenga el progreso de la rebelión, se reprochan a sí mismos con gran sentimiento el no tener mayor poder para resistir y contrarrestar la potente invasión del mal. Les parece que si hubiesen dedicado siempre toda su habilidad al servicio de Cristo, avanzando de virtud en virtud, las fuerzas de Satanás no tendrían tanto poder sobre ellos.

Afligen sus almas ante Dios, recordándole cada uno de sus actos de arrepentimiento de sus numerosos pecados y la promesa del Salvador: "¿Forzará alguien mi fortaleza? Haga conmigo paz, sí haga paz conmigo" (Isaías 27:5). Su fe no decae si sus oraciones no reciben inmediata contestación. Aunque sufren la ansiedad, el terror y la angustia más desesperantes, no dejan de orar. Echan mano del poder de Dios como Jacob se aferró al ángel; y de sus almas se exhala el grito: "No te soltaré hasta que me hayas bendecido".

Si Jacob no se hubiese arrepentido previamente del pecado que cometió al adueñarse fraudulentamente del derecho de primogenitura, Dios no habría escuchado su oración ni le hubiese salvado la vida misericordiosamente. Así, en el tiempo de angustia, si el pueblo de Dios conservase pecados aún inconfesos cuando lo atormenten el temor y la angustia, sería aniquilado; la desesperación acabaría con su fe y no podría tener confianza para rogar a Dios que le librase. Pero por muy profundo que sea el sentimiento que tiene de su indignidad, no tiene culpas escondidas que revelar. Sus pecados han sido examinados y borrados en el juicio; y no puede recordarlos.

Todos los que tratan de excusar u ocultar sus pecados, dejándolos sin confesar y sin haber sido perdonados en los registros del cielo, serán vencidos por Satanás.

Satanás induce a muchos a creer que Dios no se fija en la infidelidad de ellos respecto a los asuntos menudos de la vida; pero, en su actitud con Jacob, el Señor demuestra que en manera alguna sancionará ni tolerará el mal. Todos los que tratan de excusar u ocultar sus pecados, dejándolos sin confesar y sin haber sido perdonados en los registros del cielo, serán vencidos por Satanás. Cuanto más exaltada sea su profesión y honroso el puesto que desempeñen, tanto más graves aparecen sus faltas a la vista de Dios, y tanto más seguro es el triunfo de su gran adversario. Los que tardan en prepararse para el día del Señor, no podrán hacerlo en el tiempo de la angustia ni en ningún momento subsiguiente. El caso de los tales es desesperado.

Los cristianos profesos que llegarán sin preparación al último y terrible conflicto, confesarán sus pecados con palabras de angustia consumidora, mientras los impíos se reirán de esa angustia. Esas confesiones son del mismo carácter que las de Esaú o de Judas. Los que las hacen lamentan los resultados de la transgresión, pero no su culpa misma. No sienten verdadera contrición ni horror al mal. Reconocen sus pecados por temor al castigo; pero, lo mismo que Faraón, volverían a maldecir al cielo si se suspendiesen los juicios de Dios.

La historia de Jacob nos da además la seguridad de que Dios no rechazará a los que han sido engañados, tentados y arrastrados al pecado, pero que hayan vuelto a él con verdadero arrepentimiento. Mientras Satanás trata de acabar con esta clase de personas, Dios enviará sus ángeles para consolarlas y protegerlas en el tiempo de peligro. Los asaltos de Satanás son feroces y resueltos, sus engaños terribles, pero el ojo de Dios descansa sobre su pueblo y su oído escucha su súplica. Su aflicción es grande, las llamas del horno parecen estar a punto de consumirlos; pero el Refinador los sacará como oro purificado por el fuego. El amor de Dios para con sus hijos durante el período de su prueba más dura es tan grande y tan tierno como en los días de su mayor prosperidad; pero necesitan pasar por el horno de fuego; debe consumirse su mundanalidad, para que la imagen de Cristo se refleje perfectamente.

Los tiempos de apuro y angustia que nos esperan requieren una fe capaz de soportar el cansancio, la demora y el hambre, una fe que no desmaye a pesar de las pruebas más duras. El tiempo de gracia les es concedido a todos a fin de que se preparen para aquel momento. Jacob prevaleció porque fue perseverante y resuelto. Su victoria es prueba evidente del poder de la oración importuna. Todos los que se aferren a las promesas de Dios como lo hizo él, y que sean tan sinceros como él lo fue, tendrán tan buen éxito como él. Los que no están dispuestos a negarse a sí mismos, a luchar desesperadamente ante Dios y a orar mucho y con empeño para obtener su bendición, no lo conseguirán. ¡Cuán pocos cristianos saben lo que es luchar con Dios! ¡Cuán pocos son los que jamás suspiraron por Dios con ardor hasta tener como en tensión todas las facultades del alma! Cuando olas de indecible desesperación envuelven al suplicante, ¡cuán raro es verle atenerse con fe inquebrantable a las promesas de Dios!

Los que sólo ejercitan poca fe, están en mayor peligro de caer bajo el dominio de los engaños satánicos y del decreto que violentará las conciencias. Y aun en caso de soportar la prueba, en el tiempo de angustia se verán sumidos en mayor aflicción porque no se habrán acostumbrado a confiar en Dios. Las lecciones de fe que hayan descuidado, tendrán que aprenderlas bajo el terrible peso del desaliento.

Deberíamos aprender ahora a conocer a Dios, poniendo a prueba sus promesas. Los ángeles toman nota de cada oración ferviente y sincera. Sería mejor sacrificar nuestros propios gustos antes que descuidar la comunión con Dios. La mayor pobreza y la más absoluta abnegación, con la aprobación divina, valen más que las riquezas, los honores, las comodidades y amistades sin ella. Debemos darnos tiempo para orar. Si nos dejamos absorber por los intereses mundanos, el Señor puede darnos ese tiempo que necesitamos, quitándonos nuestros ídolos, ya sean éstos oro, casas o tierras feraces.

La juventud no se dejaría seducir por el pecado si se negase a entrar en otro camino que aquel sobre el cual pudiera pedir la bendición de Dios. Si los que proclaman la última solemne amonestación al mundo rogasen por la bendición de Dios, no con frialdad e indolencia, sino con fervor y fe como lo hizo Jacob, encontrarían muchas ocasiones en que podrían decir: "Vi a

Dios cara a cara, y fue librada mi alma" (Génesis 32:30). Serían considerados como príncipes en el cielo, con poder para prevalecer con Dios y los hombres.

> *El Señor nos está presentando siempre, no el camino que escogeríamos y que nos parecería más fácil y agradable, sino el verdadero, el que lleva a los fines verdaderos de la vida.*

El "tiempo de angustia, cual nunca fue después que hubo gente" se iniciará pronto; y para entonces necesitaremos tener una experiencia que hoy por hoy no poseemos y que muchos no pueden lograr debido a su indolencia. Sucede muchas veces que los peligros que se esperan no resultan tan grandes como uno se los había imaginado; pero éste no es el caso respecto de la crisis que nos espera. La imaginación más fecunda no alcanza a darse cuenta de la magnitud de tan dolorosa prueba. En aquel tiempo de tribulación, cada alma deberá sostenerse por sí sola ante Dios. "Si Noé, Daniel y Job estuvieren" en el país, "¡vivo yo! dice Jehová el Señor, que ni a hijo ni a hija podrán ellos librar por su justicia; tan sólo a sus propias almas librarán" (Ezequiel 14:20, V.M).

Ahora, mientras que nuestro gran Sumo Sacerdote está haciendo propiciación por nosotros, debemos tratar de llegar a la perfección en Cristo. Nuestro Salvador no pudo ser inducido a ceder a la tentación ni siquiera en pensamiento. Satanás encuentra en los corazones humanos algún asidero en que hacerse firme; es tal vez algún deseo pecaminoso que se acaricia, por medio del cual la tentación se fortalece. Pero Cristo declaró al hablar de sí mismo: "Viene el príncipe de este mundo; mas no tiene nada en mí" (S. Juan 14:30). Satanás no pudo encontrar nada en el Hijo de Dios que le permitiese ganar la victoria. Cristo guardó los mandamientos de su Padre y no hubo en él ningún pecado de que Satanás pudiese sacar ventaja. Esta es la condición en que deben encontrarse los que han de poder subsistir en el tiempo de angustia.

En esta vida es donde debemos separarnos del pecado por la fe en la sangre expiatoria de Cristo. Nuestro amado Salvador nos invita a que nos unamos a él, a que unamos nuestra flaqueza con su fortaleza, nuestra ignorancia con su sabiduría, nuestra indignidad con sus méritos. La providencia de Dios es la escuela en la cual debemos aprender a tener la mansedumbre y humildad de Jesús. El Señor nos está presentando siempre, no el camino que escogeríamos y que nos parecería más fácil y agradable, sino el verdadero, el que lleva a los fines verdaderos de la vida. De nosotros está, pues, que cooperemos con los factores que Dios emplea, en la tarea de conformar nuestros caracteres con el modelo divino. Nadie puede descuidar o aplazar esta obra sin grave peligro para su alma.

El apóstol San Juan, estando en visión, oyó una gran voz que exclamaba en el cielo: "¡Ay de los moradores de la tierra y del mar! porque el diablo ha descendido a vosotros, teniendo grande ira, sabiendo que tiene poco tiempo" (Apocalipsis 12:12). Espantosas son las escenas que provocaron esta exclamación de la voz celestial. La ira de Satanás crece a medida que se va acercando el fin, y su obra de engaño y destrucción culminará durante el tiempo de angustia.

Pronto aparecerán en el cielo signos pavorosos de carácter sobrenatural, en prueba del poder milagroso de los demonios. Los espíritus de los demonios irán en busca de los reyes de la tierra y por todo el mundo para aprisionar a los hombres con engaños e inducirlos a que se unan a Satanás en su última lucha contra el gobierno de Dios. Mediante estos agentes, tanto los príncipes como los súbditos serán engañados. Surgirán entes que se darán por el mismo Cristo y reclamarán los títulos y el culto que pertenecen al Redentor del mundo. Harán curaciones milagrosas y asegurarán haber recibido del cielo revelaciones contrarias al testimonio de las Sagradas Escrituras.

El acto capital que coronará el gran drama del engaño será que el mismo Satanás se dará por el Cristo. Hace mucho que la iglesia profesa esperar el advenimiento del Salvador como consumación de sus esperanzas. Pues bien, el gran engañador simulará que Cristo habrá venido. En varias partes de la tierra, Satanás se manifestará a los hombres como ser majestuoso, de un brillo deslumbrador, parecido a la descripción que del Hijo de Dios da San Juan en el Apocalipsis (Apocalipsis 1:13-15). La gloria que le rodee superará cuanto hayan visto los ojos de los mortales. El grito de triunfo repercutirá por los aires: "¡Cristo ha venido! ¡Cristo ha venido!" El pueblo se postrará en adoración ante él, mientras levanta sus manos y pronuncia una bendición sobre ellos como Cristo bendecía a sus discípulos cuando estaba en la tierra. Su voz es suave y acompasada aunque llena de melodía. En tono amable y compasivo, enuncia algunas de las verdades celestiales y llenas de gracia que pronunciaba el Salvador; cura las dolencias del pueblo, y luego, en su fementido carácter de Cristo, asegura haber mudado el día de reposo del sábado al domingo y manda a todos que santifiquen el día bendecido por él. Declara que aquellos que persisten en santificar el séptimo día blasfeman su nombre porque se niegan a oír a sus ángeles, que les fueron enviados con la luz de la verdad. Es el engaño más poderoso y resulta casi irresistible. Como los samaritanos fueron engañados por Simón el Mago, así también las multitudes, desde los más pequeños hasta los mayores, creen en ese sortilegio y dicen: "Este es el poder de Dios llamado grande" (Hechos 8:10, V. N-C).

Pero el pueblo de Dios no se extraviará. Las enseñanzas del falso Cristo no están de acuerdo con las Sagradas Escrituras. Su bendición va dirigida a los que adoran la bestia y su imagen, precisamente aquellos sobre quienes dice la Biblia que la ira de Dios será derramada sin mezcla.

> *En varias partes de la tierra, Satanás se manifestará a los hombres como ser majestuoso, de un brillo deslumbrador, parecido a la descripción que del Hijo de Dios da San Juan en el Apocalipsis (Apocalipsis 1:13-15).*

Además, no se le permitirá a Satanás contrahacer la manera en que vendrá Jesús. El Salvador previno a su pueblo contra este engaño y predijo claramente cómo será su segundo advenimiento. "Porque se levantarán falsos

Cristos y falsos profetas, y darán señales grandes y prodigios; de tal manera que engañarán, si es posible, aun a los escogidos.... Así que, si os dijeren: He aquí en el desierto está; no salgáis: He aquí en las cámaras; no creáis. Porque como el relámpago que sale del oriente y se muestra hasta el occidente, así será también la venida del Hijo del hombre" (S. Mateo 24:24-27, 31; 25:31; Apocalipsis 1:7; 1 Tesalonicenses 4:16-17). No se puede remedar semejante aparición. Todos la conocerán y el mundo entero la presenciará.

Sólo los que hayan estudiado diligentemente las Escrituras y hayan recibido el amor de la verdad en sus corazones, serán protegidos de los poderosos engaños que cautivarán al mundo. Merced al testimonio bíblico descubrirán al engañador bajo su disfraz. El tiempo de prueba llegará para todos. Por medio de la criba de la tentación se reconocerá a los verdaderos cristianos. ¿Se sienten los hijos de Dios actualmente bastante firmes en la Palabra divina para no ceder al testimonio de sus sentidos? ¿Se atendrán ellos en semejante crisis a la Biblia y a la Biblia sola? Si ello le resulta posible, Satanás les impedirá que logren la preparación necesaria para estar firmes en aquel día. Dispondrá las cosas de modo que el camino les esté obstruido; los aturdirá con bienes terrenales, les hará llevar una carga pesada y abrumadora para que sus corazones se sientan recargados con los cuidados de esta vida y que el día de la prueba los sorprenda como ladrón.

Cuando el decreto promulgado por los diversos príncipes y dignatarios de la cristiandad contra los que observan los mandamientos, suspenda la protección y las garantías del gobierno y los abandone a los que tratan de aniquilarlos, el pueblo de Dios huirá de las ciudades y de los pueblos y se unirá en grupos para vivir en los lugares más desiertos y solitarios. Muchos encontrarán refugio en puntos de difícil acceso en las montañas. Como los cristianos de los valles del Piamonte, convertirán los lugares elevados de la tierra en santuarios suyos y darán gracias a Dios por las "fortalezas de rocas" (Isaías 33:16). Pero muchos seres humanos de todas las naciones y de todas clases, grandes y pequeños ricos y pobres, negros y blancos, serán arrojados en la más injusta y cruel servidumbre. Los amados de Dios pasarán días penosos, encadenados, encerrados en cárceles, sentenciados a muerte, algunos abandonados adrede para morir de hambre y sed en sombríos y repugnantes calabozos. Ningún oído humano escuchará sus lamentos; ninguna mano humana se aprontará a socorrerlos.

¿Olvidará el Señor a su pueblo en esa hora de prueba? ¿Olvidó acaso al fiel Noé cuando sus juicios cayeron sobre el mundo antediluviano? ¿Olvidó acaso a Lot cuando cayó fuego del cielo para consumir las ciudades de la llanura? ¿Se olvidó de José cuando estaba rodeado de idólatras en Egipto? ¿o de Elías cuando el juramento de Jezabel le amenazaba con la suerte de los profetas de Baal? ¿Se olvidó de Jeremías en el oscuro y húmedo pozo en donde había sido echado? ¿Se olvidó acaso de los tres jóvenes en el horno ardiente o de Daniel en el foso de los leones?

"Sión empero ha dicho: ¡Me ha abandonado Jehová, y el Señor se ha olvidado de mí! ¿Se olvidará acaso la mujer de su niño mamante, de modo que no tenga compasión del hijo de sus entrañas? ¡Aun las tales le pueden olvidar; mas no me olvidaré yo de ti! He aquí que sobre las palmas de mis manos te traigo esculpida" (Isaías 49: 14-16, V.M.). El Señor de los ejércitos ha dicho: "Aquel que os toca a vosotros, le toca a él en la niña de su ojo" (Zacarías 2:8, V.M.).

Aunque los enemigos los arrojen a la cárcel, las paredes de los calabozos no pueden interceptar la comunicación entre sus almas y Cristo. Aquel que conoce todas sus debilidades, que ve todas sus pruebas, está por encima de todos los poderes de la tierra; y acudirán ángeles a sus celdas solitarias, trayéndoles luz y paz del cielo. La prisión se volverá palacio, pues allí moran los que tienen mucha fe, y los lóbregos muros serán alumbrados con luz celestial como cuando Pablo y Silas oraron y alabaron a Dios a medianoche en el calabozo de Filipos.

Las plagas que cayeron sobre Egipto cuando Dios estaba por libertar a Israel fueron de índole análoga a los juicios más terribles y extensos que caerán sobre el mundo inmediatamente antes de la liberación final del pueblo de Dios.

Los juicios de Dios caerán sobre los que traten de oprimir y aniquilar a su pueblo. Su paciencia para con los impíos da a éstos alas en sus transgresiones, pero su castigo no será menos seguro ni terrible por mucho que haya tardado en venir. "Jehová se levantará como en el monte Perasim, y se indignará como en el valle de Gabaón; para hacer su obra, su obra extraña, y para ejecutar su acto, su acto extraño" (Isaías 28:21 V.M.). Para nuestro Dios misericordioso la tarea de castigar resulta extraña. "Vivo yo, dice el Señor Jehová, que no quiero la muerte del impío" (Ezequiel 33:11). El Señor es "compasivo y clemente, lento en iras y grande en misericordia y en fidelidad,... que perdona la iniquidad, la transgresión y el pecado". Sin embargo "visita la iniquidad de los padres sobre los hijos, y sobre

los hijos de los hijos, hasta la tercera y hasta la cuarta generación". "¡Jehová es lento en iras y grande en poder, y de ningún modo tendrá por inocente al rebelde!" (Éxodo 34:6-7; Nahum 1:3, V.M.). Él vindicará con terribles manifestaciones la dignidad de su ley pisoteada. Puede juzgarse de cuán severa ha de ser la retribución que espera a los culpables, por la repugnancia que tiene el Señor para hacer justicia. La nación a la que soporta desde hace tanto tiempo y a la que no destruirá hasta que no haya llenado la medida de sus iniquidades, según el cálculo de Dios, beberá finalmente de la copa de su ira sin mezcla de misericordia.

Cuando Cristo deje de interceder en el santuario, se derramará sin mezcla la ira de Dios de la que son amenazados los que adoran a la bestia y a su imagen y reciben su marca (Apocalipsis 14:9-10). Las plagas que cayeron sobre Egipto cuando Dios estaba por libertar a Israel fueron de índole análoga a los juicios más terribles y extensos que caerán sobre el mundo inmediatamente antes de la liberación final del pueblo de Dios. En el Apocalipsis se lee lo siguiente con referencia a esas mismas plagas tan temibles: "Vino una plaga mala y dañosa sobre los hombres que tenían la señal de la bestia, y sobre los que adoraban su imagen". El mar "se convirtió en sangre como de un muerto; y toda alma viviente fue muerta en el mar". También "los ríos, y ... las fuentes de las aguas,... se convirtieron en sangre". Por terribles que sean estos castigos, la justicia de Dios está plenamente vindicada. El ángel de Dios declara: "Justo eres tú, oh Señor,... porque has juzgado estas cosas: porque ellos derramaron la sangre de los santos y de los profetas, también tú les has dado a beber sangre; pues lo merecen" (Apocalipsis 16:2-6). Al condenar a muerte al pueblo de Dios, los que lo hicieron son tan culpables de su sangre como si la hubiesen derramado con sus propias manos. Del mismo modo Cristo declaró que los judíos de su tiempo eran culpables de toda la sangre de los santos varones que había sido derramada desde los días de Abel, pues estaban animados del mismo espíritu y estaban tratando de hacer lo mismo que los asesinos de los profetas.

En la plaga que sigue, se le da poder al sol para "quemar a los hombres con fuego. Y los hombres se quemaron con el grande calor" (Apocalipsis 14:8-9). Los profetas describen como sigue el estado de la tierra en tan terrible tiempo: "El campo fue destruído, enlutóse la tierra; … porque se perdió la mies del campo". "Secáronse todos los árboles del campo; por lo cual se secó el gozo de los hijos de los hombres". "El grano se pudrió debajo de sus terrones, los bastimentos fueron asolados". "¡Cuánto gimieron las bestias! ¡cuán turbados anduvieron los hatos de los bueyes, porque no tuvieron pastos! … Se secaron los arroyos de las aguas, y fuego consumió las praderías del desierto" (Joel 1:10, 11, 12, 17, 18, 20). "Y los cantores del templo aullarán en aquel día, dice el Señor Jehová; muchos serán los cuerpos muertos; en todo lugar echados serán en silencio" (Amós 8:3).

Estas plagas no serán universales, pues de lo contrario los habitantes de la tierra serían enteramente destruídos. Sin embargo serán los azotes más terribles que hayan sufrido jamás los hombres. Todos los juicios que cayeron sobre los hombres antes del fin del tiempo de gracia fueron mitigados con misericordia. La sangre propiciatoria de Cristo impidió que el pecador recibiese el pleno castigo de su culpa; pero en el juicio final la ira de Dios se derramará sin mezcla de misericordia.

En aquel día, multitudes enteras invocarán la protección de la misericordia divina que por tanto tiempo despreciaran. "He aquí vienen días, dice el Señor Jehová, en los cuales enviaré hambre a la tierra, no hambre de pan, ni sed de agua, sino de oír palabra de Jehová. E irán errantes de mar a mar: desde el norte hasta el oriente discurrirán buscando palabra de Jehová, y no la hallarán" (Amós 8:11-1 2).

El pueblo de Dios no quedará libre de padecimientos; pero aunque perseguido y acongojado y aunque sufra privaciones y falta de alimento, no será abandonado para perecer. El Dios que cuidó de Elías no abandonará a ninguno de sus abnegados hijos. El que cuenta los cabellos de sus cabezas, cuidará de ellos y los atenderá en tiempos de hambruna. Mientras los malvados estén muriéndose de hambre y pestilencia, los ángeles protegerán a los justos y suplirán sus necesidades. Escrito está del que "camina en justicia" que "se le dará pan y sus aguas serán ciertas". "Cuando los pobres y los menesterosos buscan agua y no la hay, y la lengua se les seca de sed, yo, Jehová, les escucharé; yo, el Dios de Israel, no los abandonaré" (Isaías 33:16; 41:17, V.M).

"Mas aunque la higuera no floreciere, y no hubiere fruto en la vid; aunque faltare el producto del olivo, y los campos nada dieren de comer; aunque las ovejas fueren destruidas del aprisco, y no hubiere vacas en los pesebres; sin embargo" los que teman a Jehová se regocijarán en él y se alegrarán en el Dios de su salvación (Habacuc 3:17-18, V.M).

"Jehová es tu guardador: Jehová es tu sombra a tu mano derecha. El sol no te fatigará de día, ni la luna de noche. Jehová te guardará de todo mal: él guardará tu alma". "Y él te librará del lazo del cazador: de la peste destruidora. Con sus plumas te cubrirá, y debajo de sus alas estarás seguro: escudo y adarga es su verdad. No tendrás temor de espanto nocturno, ni de saeta que vuele de día; ni de pestilencia que ande en oscuridad, ni de mortandad que en medio del día destruya. Caerán a tu lado mil, y diez mil a tu diestra: mas a ti no llegará. Ciertamente con tus ojos mirarás, y verás la recompensa de los impíos. Porque tú has puesto a Jehová, que es mi esperanza, al Altísimo por tu habitación, no te sobrevendrá mal, ni plaga tocará tu morada" (Salmos 121:5-7; 91:3-10).

Sin embargo, por lo que ven los hombres, parecería que los hijos de Dios tuviesen que sellar pronto su destino con su sangre, como lo hicieron los mártires que los precedieron. Ellos mismos empiezan a temer que el Señor los deje perecer en las manos homicidas de sus enemigos. Es un tiempo de terrible agonía. De día y de noche claman a Dios para que los libre. Los malos triunfan y se oye este grito de burla: "¿Dónde está ahora vuestra fe? ¿Por qué no os libra Dios de nuestras manos si sois verdaderamente su pueblo?" Pero mientras esos fieles cristianos aguardan, recuerdan que cuando Jesús estaba muriendo en la cruz del Calvario los sacerdotes y príncipes gritaban en tono de mofa: "A otros salvó, a sí mismo no puede salvar: si es el Rey de Israel, descienda ahora de la cruz, y creeremos en él" (S. Mateo 27:42). Como Jacob, todos luchan con Dios. Sus semblantes expresan la agonía de sus almas. Están pálidos, pero no dejan de orar con fervor.

Si los hombres tuviesen la visión del cielo, verían compañías de ángeles poderosos en fuerza estacionados en torno de los que han guardado la palabra de la paciencia de Cristo. Con ternura y simpatía, los ángeles han presenciado la angustia de ellos y han escuchado sus oraciones. Aguardan la orden de su jefe para arrancarlos al peligro. Pero tienen que esperar un poco más. El pueblo de Dios tiene que beber de la copa y ser bautizado con el bautismo. La misma dilación que es tan penosa para ellos, es la mejor respuesta a sus oraciones. Mientras procuran esperar con confianza que el Señor obre, son inducidos a ejercitar su fe, esperanza y paciencia como no lo hicieron durante su experiencia religiosa anterior. Sin embargo, el tiempo de angustia será acortado por amor de los elegidos. "¿Y acaso

Dios no defenderá la causa de sus escogidos, que claman a él día y noche?... Os digo que defenderá su causa presto" (S. Lucas 18:7-8, V.M.). El fin vendrá más pronto de lo que los hombres esperan. El trigo será recogido y atado en gavillas para el granero de Dios; la cizaña será amarrada en haces para los fuegos destructores.

Los centinelas celestiales, fieles a su cometido, siguen vigilando. Por más que un decreto general haya fijado el tiempo en que los observadores de los mandamientos puedan ser muertos, sus enemigos, en algunos casos, se anticiparán al decreto y tratarán de quitarles la vida antes del tiempo fijado. Pero nadie puede atravesar el cordón de los poderosos guardianes colocados en torno de cada fiel. Algunos son atacados al huir de las ciudades y villas. Pero las espadas levantadas contra ellos se quiebran y caen como si fueran de paja. Otros son defendidos por ángeles en forma de guerreros.

En todos los tiempos Dios se valió de santos ángeles para socorrer y librar a su pueblo. Los seres celestiales tomaron parte activa en los asuntos de los hombres. Aparecieron con vestiduras que relucían como el rayo; vinieron como hombres en traje de caminantes. Hubo casos en que aparecieron ángeles en forma humana a los siervos de Dios. Descansaron bajo los robles al mediodía como si hubiesen estado cansados. Aceptaron la hospitalidad en hogares humanos. Sirvieron de guías a viajeros extraviados. Con sus propias manos encendieron los fuegos del altar. Abrieron las puertas de las cárceles y libertaron a los siervos del Señor. Vestidos de la armadura celestial, vinieron para quitar la piedra del sepulcro del Salvador.

A menudo suele haber ángeles en forma humana en las asambleas de los justos, y visitan también las de los impíos, como lo hicieron en Sodoma para tomar nota de sus actos y para determinar si excedieron los límites de la paciencia de Dios. El Señor se complace en la misericordia; así que por causa de los pocos que le sirven verdaderamente, mitiga las calamidades y prolonga el estado de tranquilidad de las multitudes. Los que pecan contra Dios no se dan cuenta de que deben la vida a los pocos fieles a quienes les gusta ridiculizar y oprimir.

> *Nuestro amado Salvador nos enviará ayuda en el momento mismo en que la necesitemos. El camino del cielo quedó consagrado por sus pisadas. Cada espina que hiere nuestros pies hirió también los suyos. El cargó antes que nosotros la cruz que cada uno de nosotros ha de cargar.*

Aunque los gobernantes de este mundo no lo sepan, ha sido frecuente que en sus asambleas hablaran ángeles. Ojos humanos los han mirado; oídos humanos han escuchado sus llamamientos; labios humanos se han opuesto a sus indicaciones y han puesto en ridículo sus consejos; y hasta manos humanas los han maltratado. En las salas de consejo y en los tribunales, estos mensajeros celestiales han revelado sus grandes conocimientos de la historia de la humanidad y se han demostrado más capaces de defender la causa de los oprimidos que los abogados más hábiles y más elocuentes. Han frustrado propósitos y atajado males que habrían atrasado en gran manera la obra de Dios y habrían causado grandes padecimientos a su pueblo. En la hora de peligro y angustia "el ángel de Jehová acampa en derredor de los que le temen, y los defiende" (Salmo 34:7).

El pueblo de Dios espera con ansia las señales de la venida de su Rey. Y cuando se les pregunta a los centinelas: "¿Qué hay de la noche?" se oye la respuesta terminante: "¡La mañana viene, y también la noche!" (Isaías 21:11-12, V.M.). La luz dora las nubes que coronan las cumbres. Pronto su gloria se revelará. El Sol de Justicia está por salir. Tanto la mañana como la noche van a principiar: la mañana del día eterno para los justos y la noche perpetua para los impíos.

Mientras el pueblo militante de Dios dirige con empeño sus oraciones a Dios, el velo que lo separa del mundo invisible parece estar casi descorrido. Los cielos se encienden con la aurora del día eterno, y cual melodía de cánticos angélicos llegan a sus oídos las palabras: "Manteneos firmes en vuestra fidelidad. Ya os llega ayuda". Cristo, el vencedor todopoderoso, ofrece a sus cansados soldados una corona de gloria inmortal; y su voz se deja oír por las puertas entornadas: "He aquí que estoy con vosotros. No temáis. Conozco todas vuestras penas; he cargado con vuestros dolores. No estáis lidiando contra enemigos desconocidos. He peleado en favor vuestro, y en mi nombre sois más que vencedores".

Nuestro amado Salvador nos enviará ayuda en el momento mismo en que la necesitemos. El camino del cielo quedó consagrado por sus pisadas. Cada espina que hiere nuestros pies hirió también los suyos. El cargó antes que nosotros la cruz que cada uno de nosotros ha de cargar. El Señor permite los conflictos a fin de preparar al alma para la paz. El tiempo de angustia es una prueba terrible para el pueblo de Dios; pero es el momento en que todo verdadero creyente debe mirar hacia arriba a fin de que por la fe pueda ver el arco de la promesa que le envuelve.

"Cierto, tornarán los redimidos de Jehová,

volverán a Sión cantando, y gozo perpetuo será sobre sus cabezas: poseerán gozo y alegría, y el dolor y el gemido huirán. Yo, yo soy vuestro consolador. ¿Quién eres tú para que tengas temor del hombre, que es mortal, del hijo del hombre, que por heno será contado? Y haste ya olvidado de Jehová tu Hacedor,... y todo el día temiste continuamente del furor del que aflige, cuando se disponía para destruir: mas ¿en dónde está el furor del que aflige? El preso se da prisa para ser suelto, por no morir en la mazmorra, ni que le falte su pan. Empero yo Jehová, que parto la mar, y suenan sus ondas, soy tu Dios, cuyo nombre es Jehová de los ejércitos. Y en tu boca he puesto mis palabras, y con la sombra de mi mano te cubrí" (Isaías 51:11-16).

"Oye pues ahora esto, miserable, ebria, y no de vino: Así dijo tu Señor Jehová, y tu Dios, el cual pleitea por su pueblo: He aquí he quitado de tu mano el cáliz de aturdimiento, la hez del cáliz de mi furor; nunca más lo beberás: y ponerlo he en mano de tus angustiadores que dijeron a tu alma: Encórvate, y pasaremos. Y tú pusiste tu cuerpo como tierra, y como camino, a los que pasan" (Isaías 51:21-23).

El ojo de Dios, al mirar al través de las edades, se fijó en la crisis a la cual tendrá que hacer frente su pueblo, cuando los poderes de la tierra se unan contra él. Como los desterrados cautivos, temerán morir de hambre o por la violencia. Pero el Dios santo que dividió las aguas del Mar Rojo delante de los israelitas manifestará su gran poder libertándolos de su cautiverio. "Ellos me serán un tesoro especial, dice Jehová de los ejércitos, en aquel día que yo preparo; y me compadeceré de ellos, como un hombre se compadece de su mismo hijo que le sirve" (Malaquías 3:17, V.M.). Si la sangre de los fieles siervos de Cristo fuese entonces derramada, no sería ya, como la sangre de los mártires, semilla destinada a dar una cosecha para Dios. Su fidelidad no sería ya un testimonio para convencer a otros de la verdad, pues los corazones endurecidos han rechazado los llamamientos de la misericordia hasta que éstos ya no se dejan oír. Si los justos cayesen entonces presa de sus enemigos, sería un triunfo para el príncipe de las tinieblas. El salmista dice: "Me esconderá en su pabellón en el día de calamidad; me encubrirá en lo recóndito de su Tabernáculo" (Salmo 27:5, V.M.). Cristo ha dicho: "¡Ven, pueblo mío, entra en tus aposentos, cierra tus puertas sobre ti; escóndete por un corto momento, hasta que pase la indignación! Porque he aquí que Jehová sale de su lugar para castigar a los habitantes de la tierra por su iniquidad" (Isaías 26:20-21, V.M.). Gloriosa será la liberación de los que lo han esperado pacientemente y cuyos nombres están escritos en el libro de la vida.

LA LIBERACIÓN DEL PUEBLO DE DIOS

CUANDO los que honran la ley de Dios hayan sido privados de la protección de las leyes humanas, empezará en varios países un movimiento simultáneo para destruirlos. Conforme vaya acercándose el tiempo señalado en el decreto, el pueblo conspirará para extirpar la secta aborrecida. Se convendrá en dar una noche el golpe decisivo, que reducirá completamente al silencio la voz disidente y represora.

El pueblo de Dios —algunos en las celdas de las cárceles, otros escondidos en ignorados escondrijos de bosques y montañas— invoca aún la protección divina, mientras que por todas partes compañías de hombres armados, instigados por legiones de ángeles malos, se disponen a emprender la obra de muerte. Entonces, en la hora de supremo apuro, es cuando el Dios de Israel intervendrá para librar a sus escogidos. El Señor dice: "Vosotros tendréis canción, como en noche en que se celebra pascua; y alegría de corazón, como el que va... al monte de Jehová, al Fuerte de Is-

rael. Y Jehová hará oír su voz potente, y hará ver el descender de su brazo, con furor de rostro, y llama de fuego consumidor; con dispersión, con avenida, y piedra de granizo" (Isaías 30:29-30).

Multitudes de hombres perversos, profiriendo gritos de triunfo, burlas e imprecaciones, están a punto de arrojarse sobre su presa, cuando de pronto densas tinieblas, más sombrías que la oscuridad de la noche caen sobre la tierra. Luego un arco iris, que refleja la gloria del trono de Dios, se extiende de un lado a otro del cielo, y parece envolver a todos los grupos en oración. Las multitudes encolerizadas se sienten contenidas en el acto. Sus gritos de burla expiran en sus labios. Olvidan el objeto de su ira sanguinaria. Con terribles presentimientos contemplan el símbolo de la alianza divina, y ansían ser amparadas de su deslumbradora claridad.

Los hijos de Dios oyen una voz clara y melodiosa que dice: "Enderezaos," y, al levantar la vista al cielo, contemplan el arco de la promesa. Las nubes negras y amenazadoras que

cubrían el firmamento se han desvanecido, y como Esteban, clavan la mirada en el cielo, y ven la gloria de Dios y al Hijo del hombre sentado en su trono. En su divina forma distinguen los rastros de su humillación, y oyen brotar de sus labios la oración dirigida a su Padre y a los santos ángeles: "Yo quiero que aquellos también que me has dado, estén conmigo en donde yo estoy" (S. Juan 17:24, V.M.). Luego se oye una voz armoniosa y triunfante, que dice: "¡Helos aquí! ¡Helos aquí! santos, inocentes e inmaculados. Guardaron la palabra de mi paciencia y andarán entre los ángeles;" y de los labios pálidos y trémulos de los que guardaron firmemente la fe, sube una aclamación de victoria.

Es a medianoche cuando Dios manifiesta su poder para librar a su pueblo. Sale el sol en todo su esplendor. Sucédense señales y prodigios con rapidez. Los malos miran la escena con terror y asombro, mientras los justos contemplan con gozo las señales de su liberación. La naturaleza entera parece trastornada. Los ríos dejan de correr. Nubes negras y pesadas se levantan y chocan unas con otras. En medio de los cielos conmovidos hay un claro de gloria indescriptible, de donde baja la voz de Dios semejante al ruido de muchas aguas, diciendo: "Hecho es" (Apocalipsis 16:17).

Esa misma voz sacude los cielos y la tierra. Síguese un gran terremoto, "cual no fue jamás desde que los hombres han estado sobre la tierra" (Vers. 18). El firmamento parece abrirse y cerrarse. La gloria del trono de Dios parece cruzar la atmósfera. Los montes son movidos como una caña al soplo del viento, y las rocas quebrantadas se esparcen por todos lados. Se oye un estruendo como de cercana tempestad. El mar es azotado con furor. Se oye el silbido del huracán, como voz de demonios en misión de destrucción. Toda la tierra se alborota e hincha como las olas del mar. Su superficie se raja. Sus

mismos fundamentos parecen ceder. Se hunden cordilleras. Desaparecen islas habitadas. Los puertos marítimos que se volvieron como Sodoma por su corrupción, son tragados por las enfurecidas olas. "La grande Babilonia vino en memoria delante de Dios, para darle el cáliz del vino del furor de su ira" (Vers. 19). Pedrisco grande, cada piedra, "como del peso de un talento" (vers. 21), hace su obra de destrucción. Las más soberbias ciudades de la tierra son arrasadas. Los palacios suntuosos en que los magnates han malgastado sus riquezas en provecho de su gloria personal, caen en ruinas ante su vista. Los muros de las cárceles se parten de arriba abajo, y son libertados los hijos de Dios que habían sido apresados por su fe.

> *Es a medianoche cuando Dios manifiesta su poder para librar a su pueblo. Sale el sol en todo su esplendor. Sucédense señales y prodigios con rapidez. Los malos miran la escena con terror y asombro, mientras los justos contemplan con gozo las señales de su liberación.*

Los sepulcros se abren y "muchos de los que duermen en el polvo de la tierra serán despertados, unos para vida eterna, y otros para vergüenza y confusión perpetua" (Daniel 12:2). Todos los que murieron en la fe del mensaje del tercer ángel, salen glorificados de la tumba, para oír el pacto de paz que Dios hace con los que guardaron su ley. "Los que le traspasaron"

(Apocalipsis 1:7), los que se mofaron y se rieron de la agonía de Cristo y los enemigos más acérrimos de su verdad y de su pueblo, son resucitados para mirarle en su gloria y para ver el honor con que serán recompensados los fieles y obedientes.

Densas nubes cubren aún el firmamento; sin embargo el sol se abre paso de vez en cuando, como si fuese el ojo vengador de Jehová. Fieros relámpagos rasgan el cielo con fragor, envolviendo a la tierra en claridad de llamaradas. Por encima del ruido aterrador de los truenos, se oyen voces misteriosas y terribles que anuncian la condenación de los impíos. No todos entienden las palabras pronunciadas; pero los falsos maestros las comprenden perfectamente. Los que poco antes eran tan temerarios, jactanciosos y provocativos, y que tanto se regocijaban al ensañarse en el pueblo de Dios observador de sus mandamientos, se sienten presa de consternación y tiemblan de terror. Sus llantos dominan el ruido de los elementos. Los demonios confiesan la divinidad de Cristo y tiemblan ante su poder, mientras que los hombres claman por misericordia y se revuelcan en terror abyecto.

Al considerar el día de Dios en santa visión, los antiguos profetas exclamaron: "Aullad, porque cerca está el día de Jehová; vendrá como asolamiento del Todopoderoso". "Métete en la piedra, escóndete en el polvo, de la presencia espantosa de Jehová y del resplandor de su majestad. La altivez de los ojos del hombre será abatida, y la soberbia de los hombres será humillada; y Jehová solo será ensalzado en aquel día. Porque día de Jehová de los ejércitos vendrá sobre todo soberbio y altivo, y sobre todo ensalzado; y será abatido". "Aquel día arrojará el hombre, a los topos y murciélagos, sus ídolos de plata y sus ídolos de oro, que le hicieron para que adorase; y se entrarán en las hendiduras de las rocas y en las cavernas de las peñas, por la presencia formidable de Jehová, y por el resplandor de su majestad, cuando se levantare para herir la tierra" (Isaías 13:6; 2:10-12; 2:20-21).

> *Los que poco antes eran tan temerarios, jactanciosos y provocativos, y que tanto se regocijaban al ensañarse en el pueblo de Dios observador de sus mandamientos, se sienten presa de consternación y tiemblan de terror.*

Por un desgarrón de las nubes una estrella arroja rayos de luz cuyo brillo queda cuadruplicado por el contraste con la oscuridad. Significa esperanza y júbilo para los fieles, pero severidad para los transgresores de la ley de Dios. Los que todo lo sacrificaron por Cristo están entonces seguros, como escondidos en los pliegues del pabellón de Dios. Fueron probados, y ante el mundo y los despreciadores de la verdad demostraron su fidelidad a Aquel que murió por ellos. Un cambio maravilloso se ha realizado en aquellos que conservaron su integridad ante la misma muerte. Han sido librados como por ensalmo de la sombría y terrible tiranía de los hombres vueltos demonios. Sus semblantes, poco antes tan pálidos, tan llenos de ansiedad y tan macilentos, brillan ahora de admiración, fe y amor. Sus voces se elevan en canto triunfal: "Dios es nuestro refugio y fortaleza; socorro muy bien experimentado en las angustias. Por tanto no temeremos aunque la tierra sea conmovida, y aunque las montañas se trasladen al centro de los mares; aunque bramen y se turben sus aguas, aunque tiemblen las montañas a causa de su bravura" (Salmo 46:1-3, V.M).

Mientras estas palabras de santa confianza se elevan hacia Dios, las nubes se retiran, y el cielo estrellado brilla con esplendor indescriptible en contraste con el firmamento negro y severo en ambos lados. La magnificencia de la ciudad celestial rebosa por las puertas entreabiertas. Entonces aparece en el cielo una mano que sostiene dos tablas de piedra puestas una sobre otra. El profeta dice: "Denunciarán los cielos su justicia; porque Dios es el juez" (Salmo 50:6). Esta ley santa, justicia de Dios, que entre truenos y llamas fue proclamada desde el Sinaí como guía de la vida, se revela ahora a los hombres como norma del juicio. La mano abre las tablas en las cuales se ven los preceptos del Decálogo inscritos como con letras de fuego. Las palabras son tan distintas que todos pueden leerlas. La memoria se despierta, las tinieblas de la superstición y de la herejía desaparecen de todos los espíritus, y las diez palabras de Dios, breves, inteligibles y llenas de autoridad, se presentan a la vista de todos los habitantes de la tierra.

Es imposible describir el horror y la desesperación de aquellos que pisotearon los santos preceptos de Dios. El Señor les había dado su ley con la cual hubieran podido comparar su carácter y ver sus defectos mientras que había aún oportunidad para arrepentirse y reformarse; pero con el afán de asegurarse el favor del mundo, pusieron a un lado los preceptos de la ley y enseñaron a otros a transgredirlos. Se empeñaron en obligar al pueblo de Dios a que profanase su sábado. Ahora los condena aquella misma ley que despreciaran. Ya echan de ver que no tienen disculpa. Eligieron a quién querían servir y adorar. "Entonces vosotros volveréis, y echaréis de ver la diferencia que hay entre el justo y el injusto; entre aquel que sirve a Dios, y aquel que no le sirve" (Malaquías 3:18, V.M.).

Los enemigos de la ley de Dios, desde los ministros hasta el más insignificante entre ellos, adquieren un nuevo concepto de lo que es la verdad y el deber. Reconocen demasiado tarde que el día de reposo del cuarto mandamiento es el sello del Dios vivo. Ven demasiado tarde la verdadera naturaleza de su falso día de reposo y el fundamento arenoso sobre el cual construyeron. Se dan cuenta de que han estado luchando contra Dios. Los maestros de la religión condujeron las almas a la perdición mientras profesaban guiarlas hacia las puertas del paraíso. No se sabrá antes del día del juicio final cuán grande es la responsabilidad de los que desempeñan un cargo sagrado, y cuán terribles son los resultados de su infidelidad. Sólo en la eternidad podrá apreciarse debidamente la pérdida de una sola alma. Terrible será la suerte de aquel a quien Dios diga: Apártate, mal servidor.

Desde el cielo se oye la voz de Dios que proclama el día y la hora de la venida de Jesús, y promulga a su pueblo el pacto eterno. Sus palabras resuenan por la tierra como el estruendo de los más estrepitosos truenos. El Israel de Dios escucha con los ojos elevados al cielo. Sus semblantes se iluminan con la gloria divina y brillan cual brillara el rostro de Moisés cuando bajó del Sinaí. Los malos no los pueden mirar. Y cuando la bendición es pronunciada sobre los que honraron a Dios santificando su sábado, se oye un inmenso grito de victoria.

Pronto aparece en el este una pequeña nube negra, de un tamaño como la mitad de la palma de la mano. Es la nube que envuelve al Salvador y que a la distancia parece rodeada de oscuridad. El pueblo de Dios sabe que es la señal del Hijo del hombre. En silencio solemne la contemplan mientras va acercándose a la tierra, volviéndose más luminosa y más gloriosa hasta convertirse en una gran nube blanca, cuya base es como fuego consumidor, y sobre ella el arco iris del pacto. Jesús marcha al frente como un gran conquistador. Ya no es "varón de dolores," que haya de beber el amargo cáliz de la ignominia y de la maldición; victorioso en el cielo y en la tierra, viene a juzgar a vivos y muertos. "Fiel y veraz," "en justicia juzga y hace guerra". "Y los ejércitos que están en el cielo le seguían" (Apocalipsis 19:11, 14, V.M.). Con cantos celestiales los santos ángeles, en inmensa e innumerable muchedumbre, le acompañan en el descenso. El firmamento parece lleno de formas radiantes, —"millones de millones, y millares de millares". Ninguna pluma humana puede describir la escena, ni mente mortal alguna es capaz de concebir su esplendor. "Su gloria cubre los cielos, y la tierra se llena de su alabanza. También su resplandor es como el fuego" (Habacuc 3:3-4, V.M.). A medida que va acercándose la nube viviente, todos los ojos ven al Príncipe de la vida. Ninguna corona de espinas hiere ya sus sagradas sienes, ceñidas ahora por gloriosa diadema. Su rostro brilla más que la luz deslumbradora del sol de mediodía. "Y en su vestidura y en su muslo tiene escrito este nombre: Rey de reyes y Señor de señores" (Apocalipsis 19:16).

Ante su presencia, "hanse tornado pálidos todos los rostros;" el terror de la desesperación eterna se apodera de los que han rechazado la misericordia de Dios. "Se deslíe el corazón, y se baten las rodillas,... y palidece el rostro de todos" (Jeremías 30:6; Nahum 2:10, V.M.). Los justos gritan temblando: "¿Quién podrá estar firme?" Termina el canto de los ángeles, y sigue un momento de silencio aterrador. Entonces se oye la voz de Jesús, que dice: "¡Bástaos mi gracia!" Los rostros de los justos se iluminan y el corazón de todos se llena de gozo. Y los ángeles entonan una melodía más elevada, y vuelven a cantar al acercarse aún más a la tierra.

El Rey de reyes desciende en la nube, envuelto en llamas de fuego. El cielo se recoge como un libro que se enrolla, la tierra tiembla ante su presencia, y todo monte y toda isla se mueven de sus lugares. "Vendrá nuestro Dios, y no callará: fuego consumirá delante de él, y en derredor suyo habrá tempestad grande. Convocará a los cielos de arriba, y a la tierra, para juzgar a su pueblo" (Salmo 50:3-4).

Y los reyes de la tierra y los príncipes, y los ricos, y los capitanes, y los fuertes, y todo siervo y todo libre, se escondieron en las cuevas y entre las peñas de los montes; y decían a los montes y a las peñas: Caed sobre nosotros, y escondednos de la cara de aquel que está sentado sobre el trono, y de la ira del Cordero: porque el gran día de su ira es venido; ¿y quién podrá estar firme?" (Apocalipsis 6:15-17).

Cesaron las burlas. Callan los labios mentirosos. El choque de las armas y el tumulto de la batalla, "con revolcamiento de vestidura en sangre" (Isaías 9:5), han concluido. Sólo se oyen ahora voces de oración, llanto y lamentación. De las bocas que se mofaban poco antes, estalla el grito: "El gran día de su ira es venido; ¿y quién podrá estar firme?" Los impíos piden ser sepultados bajo las rocas de las montañas, antes que ver la cara de Aquel a quien han despreciado y rechazado.

Conocen esa voz que penetra hasta el oído de los muertos. ¡Cuántas veces sus tiernas y quejumbrosas modulaciones no los han llamado al arrepentimiento! ¡Cuántas veces no ha sido oída en las conmovedoras exhortaciones de un amigo, de un hermano, de un Redentor! Para los que rechazaron su gracia, ninguna otra podría estar tan llena de condenación ni tan cargada de acusaciones, como esta voz que tan a menudo exhortó con estas palabras: "Volveos, volveos de vuestros caminos malos, pues ¿por qué moriréis?" (Ezequiel 33:11, V.M.). ¡Oh, si sólo fuera para ellos la voz de un extraño! Jesús dice:

"Por cuanto llamé, y no quisisteis; extendí mi mano, y no hubo quien escuchase; antes desechasteis todo consejo mío, y mi represión no quisisteis" (Proverbios 1:24-25). Esa voz despierta recuerdos que ellos quisieran borrar, de avisos despreciados, invitaciones rechazadas, privilegios desdeñados.

Allí están los que se mofaron de Cristo en su humillación. Con fuerza penetrante acuden a su mente las palabras del Varón de dolores, cuando, conjurado por el sumo sacerdote, declaró solemnemente: "Desde ahora habéis de ver al Hijo del hombre sentado a la diestra de la potencia de Dios, y que viene en las nubes del cielo" (S. Mateo 26:64). Ahora le ven en su gloria, y deben verlo aún sentado a la diestra del poder divino.

Los que pusieron en ridículo su aserto de ser el Hijo de Dios enmudecen ahora. Allí está el altivo Herodes que se burló de su título real y mandó a los soldados escarnecedores que le coronaran. Allí están los hombres mismos que con manos impías pusieron sobre su cuerpo el manto de grana, sobre sus sagradas sienes la corona de espinas y en su dócil mano un cetro burlesco, y se inclinaron ante él con burlas de blasfemia. Los hombres que golpearon y escupieron al Príncipe de la vida, tratan de evitar ahora su mirada penetrante y de huir de la gloria abrumadora de su presencia. Los que atravesaron con clavos sus manos y sus pies, los soldados que le abrieron el costado, consideran esas señales con terror y remordimiento.

Los sacerdotes y los escribas recuerdan los acontecimientos del Calvario con claridad aterradora. Llenos de horror recuerdan cómo, moviendo sus cabezas con arrebato satánico, exclamaron: "A otros salvó, a sí mismo no puede salvar: si es el Rey de Israel, descienda ahora de la cruz, y creeremos en él. Confió en Dios; líbrele ahora si le quiere" (S. Mateo 27:42-43).

Recuerdan a lo vivo la parábola de los labradores que se negaron a entregar a su señor los frutos de la viña, que maltrataron a sus siervos y mataron a su hijo. También recuerdan la sentencia que ellos mismos pronunciaron: "A los malos destruirá miserablemente" el señor de la viña. Los sacerdotes y escribas ven en el pecado y en el castigo de aquellos malos labradores su propia conducta y su propia y merecida suerte. Y entonces se levanta un grito de agonía mortal. Más fuerte que los gritos de "¡Sea crucificado! ¡Sea crucificado!" que resonaron por las calles de Jerusalén, estalla el clamor terrible y desesperado: "¡Es el Hijo de Dios! ¡Es el verdadero Mesías!" Tratan de huir de la presencia del Rey de reyes. En vano tratan de esconderse en las hondas cuevas de la tierra desgarrada por la conmoción de los elementos.

En la vida de todos los que rechazan la verdad, hay momentos en que la conciencia se despierta, en que la memoria evoca el recuerdo aterrador de una vida de hipocresía, y el alma se siente atormentada de vanos pesares. Mas ¿qué es eso comparado con el remordimiento que se experimentará aquel día "cuando viniere cual huracán vuestro espanto, y vuestra calamidad, como torbellino"? (Proverbios 1:27, V.M.). Los que habrían querido matar a Cristo y a su pueblo fiel son ahora testigos de la gloria que descansa sobre ellos. En medio de su terror oyen las voces de los santos que exclaman en unánime júbilo: "¡He aquí éste es nuestro Dios, le hemos esperado, y nos salvará!" (Isaías 25:9).

Entre las oscilaciones de la tierra, las llamaradas de los relámpagos y el fragor de los truenos, el Hijo de Dios llama a la vida a los santos dormidos. Dirige una mirada a las tumbas de los justos, y levantando luego las manos al cielo, exclama: "¡Despertaos, despertaos, despertaos, los que dormís en el polvo, y levantaos!" Por toda la superficie de la tierra, los muertos oirán esa voz; y los que la oigan vivirán. Y toda la tierra repercutirá bajo las pisadas de la multitud extraordinaria de todas las naciones, tribus, lenguas y pueblos. De la prisión de la muerte sale revestida de gloria inmortal gritando "¿Dónde está, oh muerte, tu aguijón? ¿dónde, oh sepulcro, tu victoria?" (1 Corintios 15:55). Y los justos vivos unen sus voces a las de los santos resucitados en prolongada y alegre aclamación de victoria.

Todos salen de sus tumbas de igual estatura que cuando en ellas fueran depositados. Adán, que se encuentra entre la multitud resucitada, es de soberbia altura y formas majestuosas, de porte poco inferior al del Hijo de Dios. Presenta un contraste notable con los hombres de las generaciones posteriores; en este respecto se nota la gran degeneración de la raza humana. Pero todos se levantan con la lozanía y el vigor de eterna juventud. Al principio, el hombre fue creado a la semejanza de Dios, no sólo en carácter, sino también en lo que se refiere a la forma y a la fisonomía. El pecado borró e hizo desaparecer casi por completo la imagen divina; pero Cristo vino a restaurar lo que se había malogrado. El transformará nuestros cuerpos viles y los hará semejantes a la imagen de su cuerpo glorioso. La forma mortal y corruptible, desprovista de gracia, manchada en otro tiempo por el pecado, se vuelve perfecta, hermosa e inmortal. Todas las imperfecciones y deformidades quedan en la tumba. Reintegrados en su derecho al árbol de la vida, en el desde tanto tiempo perdido Edén, los redimidos crecerán hasta alcanzar la estatura perfecta de la raza humana en su gloria primitiva. Las últimas señales de la maldición del pecado serán quitadas, y los fieles discípulos de Cristo aparecerán en "la hermosura de Jehová nuestro Dios," reflejando en espíritu, cuerpo y alma la imagen perfecta de su Señor. ¡Oh maravillosa redención, tan descrita y tan esperada, contemplada con anticipación febril, pero jamás enteramente comprendida!

Los justos vivos son mudados "en un momento, en un abrir de ojo". A la voz de Dios fueron glorificados; ahora son hechos inmortales, y juntamente con los santos resucitados son arrebatados para recibir a Cristo su Señor en los aires. Los ángeles "juntarán sus escogidos de los cuatro vientos, de un cabo del cielo hasta el otro". Santos ángeles llevan niñitos a los brazos de sus madres. Amigos, a quienes la muerte tenía separados desde largo tiempo, se reúnen para no separarse más, y con cantos de alegría suben juntos a la ciudad de Dios.

En cada lado del carro nebuloso hay alas, y debajo de ellas, ruedas vivientes; y mientras el carro asciende las ruedas gritan: "¡Santo!" y las alas, al moverse, gritan: "¡Santo!" y el cortejo de los ángeles exclama: "¡Santo, santo, santo, es el Señor Dios, el Todopoderoso!" Y los redimidos exclaman: "¡Aleluya!" mientras el carro se adelanta hacia la nueva Jerusalén.

Antes de entrar en la ciudad de Dios, el Salvador confiere a sus discípulos los emblemas de la victoria, y los cubre con las insignias de su dignidad real. Las huestes resplandecientes son dispuestas en forma de un cuadrado hueco en derredor de su Rey, cuya majestuosa estatura sobrepasa en mucho a la de los santos y de los ángeles, y cuyo rostro irradia amor benigno sobre ellos. De un cabo a otro de la innumerable hueste de los redimidos, toda mirada está fija en él, todo ojo contempla la gloria de Aquel cuyo aspecto fue desfigurado "más que el de cualquier hombre, y su forma más que la de los hijos de Adam".

Sobre la cabeza de los vencedores, Jesús coloca con su propia diestra la corona de gloria. Cada cual recibe una corona que lleva su propio "nombre nuevo" (Apocalipsis 2:17), y la inscripción: "Santidad a Jehová". A todos se les pone en la mano la palma de la victoria y el arpa brillante. Luego que los ángeles que mandan dan la nota, todas las manos tocan con maestría las

LA LIBERACIÓN DEL PUEBLO DE DIOS

cuerdas de las arpas, produciendo dulce música en ricos y melodiosos acordes. Dicha indecible estremece todos los corazones, y cada voz se eleva en alabanzas de agradecimiento. "Al que nos amó, y nos ha lavado de nuestros pecados con su sangre, y nos ha hecho reyes y sacerdotes para Dios y su Padre; a él sea gloria e imperio para siempre jamás" (Apocalipsis 1:5-6).

> *Cuando se da la bienvenida a los redimidos en la ciudad de Dios, un grito triunfante de admiración llena los aires. Los dos Adanes están a punto de encontrarse.*

Delante de la multitud de los redimidos se encuentra la ciudad santa. Jesús abre ampliamente las puertas de perla, y entran por ellas las naciones que guardaron la verdad. Allí contemplan el paraíso de Dios, el hogar de Adán en su inocencia. Luego se oye aquella voz, más armoniosa que cualquier música que haya acariciado jamás el oído de los hombres, y que dice: "Vuestro conflicto ha terminado". "Venid, benditos de mi Padre, heredad el reino preparado para vosotros desde la fundación del mundo".

Entonces se cumple la oración del Salvador por sus discípulos: "Padre, aquellos que me has dado, quiero que donde yo estoy, ellos estén también conmigo". A aquellos a quienes rescató con su sangre, Cristo los presenta al Padre "delante de su gloria irreprensibles, con grande alegría" (S. Judas 24, V.M.), diciendo: "¡Heme aquí a mí, y a los hijos que me diste!" "A los que me diste, yo los guardé". ¡Oh maravillas del amor redentor! ¡qué dicha aquella cuando el Padre eterno, al ver a los redimidos verá su imagen, ya desterrada la discordia del pecado y sus manchas quitadas, y a lo humano una vez más en armonía con lo divino!

Con amor inexpresable, Jesús admite a sus fieles "en el gozo de su Señor". El Salvador se regocija al ver en el reino de gloria las almas que fueron salvadas por su agonía y humillación. Y los redimidos participarán de este gozo, al contemplar entre los bienvenidos a aquellos a quienes ganaron para Cristo por sus oraciones, sus trabajos y sacrificios de amor. Al reunirse en torno del gran trono blanco, indecible alegría llenará sus corazones cuando noten a aquellos a quienes han conquistado para Cristo, y vean que uno ganó a otros, y éstos a otros más, para ser todos llevados al puerto de descanso donde depositarán sus coronas a los pies de Jesús y le alabarán durante los siglos sin fin de la eternidad.

Cuando se da la bienvenida a los redimidos en la ciudad de Dios, un grito triunfante de admiración llena los aires. Los dos Adanes están a punto de encontrarse. El Hijo de Dios está en pie con los brazos extendidos para recibir al padre de nuestra raza al ser que él creó, que pecó contra su Hacedor, y por cuyo pecado el Salvador lleva las señales de la crucifixión. Al distinguir Adán las cruentas señales de los clavos, no se echa en los brazos de su Señor, sino que se prosterna humildemente a sus pies, exclamando: "¡Digno, digno es el Cordero que fue inmolado!" El Salvador lo levanta con ternura, y le invita a contemplar nuevamente la morada edénica de la cual ha estado desterrado por tanto tiempo.

Después de su expulsión del Edén, la vida de Adán en la tierra estuvo llena de pesar. Cada hoja marchita, cada víctima ofrecida en sacrificio, cada ajamiento en el hermoso aspecto de la naturaleza, cada mancha en la pureza del hombre, le volvían a recordar su pecado. Terrible fue la agonía del remordimiento cuando notó que aumentaba la iniquidad, y que en contestación a sus advertencias, se le tachaba de ser él mismo causa del pecado. Con paciencia y humildad soportó, por cerca de mil años, el castigo de su transgresión. Se arrepintió sinceramente de su pecado y confió en los méritos del Salvador prometido, y murió en la esperanza de la resurrección. El Hijo de Dios reparó la culpa y caída del hombre, y ahora, merced a la obra de propiciación, Adán es restablecido a su primitiva soberanía.

Transportado de dicha, contempla los árboles que hicieron una vez su delicia -los mismos árboles cuyos frutos recogiera en los días de su inocencia y dicha. Ve las vides que sus propias manos cultivaron, las mismas flores que se gozaba en cuidar en otros tiempos. Su espíritu abarca toda la escena; comprende que éste es en verdad el Edén restaurado y que es mucho más hermoso ahora que cuando él fue expulsado. El Salvador le lleva al árbol de la vida, toma su fruto glorioso y se lo ofrece para comer. Adán mira en torno suyo y nota a una multitud de los redimidos de su familia que se encuentra en el paraíso de Dios. Entonces arroja su brillante corona a los pies de Jesús, y, cayendo sobre su pecho, abraza al Redentor. Toca luego el arpa de oro, y por las bóvedas del cielo repercute el canto triunfal: "¡Digno, digno, digno es el Cordero, que fue inmolado y volvió a vivir!" La familia de Adán repite los acordes y arroja sus coronas a los pies del Salvador, inclinándose ante él en adoración.

Presencian esta reunión los ángeles que lloraron por la caída de Adán y se regocijaron cuando Jesús, una vez resucitado, ascendió al cielo después de haber abierto el sepulcro para todos aquellos que creyesen en su nombre. Ahora contemplan el cumplimiento de la obra de redención y unen sus voces al cántico de alabanza.

Delante del trono, sobre el mar de cristal, —ese mar de vidrio que parece revuelto con fuego por lo mucho que resplandece con la gloria de Dios— hállase reunida la compañía de los que salieron victoriosos "de la bestia, y de su imagen, y de su señal, y del número de su nombre". Con el Cordero en el monte de Sion, "teniendo las arpas de Dios," están en pie los ciento cuarenta y cuatro mil que fueron redimidos de entre los hombres; se oye una voz, como el estruendo de muchas aguas y como el estruendo de un gran trueno, "una voz de tañedores de arpas que tañían con sus arpas". Cantan "un cántico nuevo" delante del trono, un cántico que nadie podía aprender sino aquellos ciento cuarenta y cuatro mil. Es el cántico de Moisés y del Cordero, un canto de liberación. Ninguno sino los ciento cuarenta y cuatro mil pueden aprender aquel cántico, pues es el cántico de su experiencia -una experiencia que ninguna otra compañía ha conocido jamás. Son "éstos, los que siguen al Cordero por donde quiera que fuere". Habiendo sido trasladados de la tierra, de entre los vivos, son contados por "primicias para Dios y para el Cordero" (Apocalipsis 15:2-3; 14:1-5). "Estos son los que han venido de grande tribulación;" han pasado por el tiempo de angustia cual nunca ha sido desde que ha habido nación; han sentido la angustia del tiempo de la aflicción de Jacob; han estado sin intercesor durante el derramamiento final de los juicios de Dios. Pero han sido librados, pues "han lavado sus ropas, y las han blanqueado en la sangre del Cordero". "En sus bocas no ha sido hallado engaño; están sin mácula" delante de Dios. "Por esto están delante del trono de Dios, y le sirven día y noche en su templo; y el que está sentado sobre el trono tenderá su pabellón sobre ellos"

(Apocalipsis 7:14-15). Han visto la tierra asolada con hambre y pestilencia, al sol que tenía el poder de quemar a los hombres con un intenso calor, y ellos mismos han soportado padecimientos, hambre y sed. Pero "no tendrán más hambre, ni sed, y el sol no caerá sobre ellos, ni otro ningún calor. Porque el Cordero que está en medio del trono los pastoreará, y los guiará a fuentes vivas de aguas: y Dios limpiará toda lágrima de los ojos de ellos" (Apocalipsis 7:14-17).

En todo tiempo, los elegidos del Señor fueron educados y disciplinados en la escuela de la prueba. Anduvieron en los senderos angostos de la tierra; fueron purificados en el horno de la aflicción. Por causa de Jesús sufrieron oposición, odio y calumnias. Le siguieron a través de luchas dolorosas; se negaron a sí mismos y experimentaron amargos desengaños. Por su propia dolorosa experiencia conocieron los males del pecado, su poder, la culpabilidad que entraña y su maldición; y lo miran con horror. Al darse cuenta de la magnitud del sacrificio hecho para curarlo, se sienten humillados ante sí mismos, y sus corazones se

> *En todo tiempo, los elegidos del Señor fueron educados y disciplinados en la escuela de la prueba. Anduvieron en los senderos angostos de la tierra; fueron purificados en el horno de la aflicción.*

llenan de una gratitud y alabanza que no pueden apreciar los que nunca cayeron. Aman mucho porque se les ha perdonado mucho. Habiendo participado de los sufrimientos de Cristo, están en condición de participar de su gloria.

Los herederos de Dios han venido de buhardillas, chozas, cárceles, cadalsos, montañas, desiertos, cuevas de la tierra, y de las cavernas del mar. En la tierra fueron "pobres, angustiados, maltratados". Millones bajaron a la tumba cargados de infamia, porque se negaron terminantemente a ceder a las pretensiones engañosas de Satanás. Los tribunales humanos los sentenciaron como a los más viles criminales. Pero ahora "Dios es el juez" (Salmo 50:6). Ahora los fallos de la tierra son invertidos. "Quitará la afrenta de su pueblo" (Isaías 25:8). "Y llamarles han Pueblo Santo, Redimidos de Jehová". Él ha dispuesto "darles gloria en lugar de ceniza, óleo de gozo en lugar del luto, manto de alegría en lugar del espíritu angustiado" (Isaías 62:12; 61:3). Ya no seguirán siendo débiles, afligidos, dispersos y oprimidos. De aquí en adelante estarán siempre con el Señor. Están ante el trono, más ricamente vestidos que jamás lo fueron los personajes más honrados de la tierra. Están coronados con diademas más gloriosas que las que jamás ciñeron los monarcas de la tierra. Pasaron para siempre los días de sufrimiento y llanto. El Rey de gloria ha secado las lágrimas de todos los semblantes; toda causa de pesar ha sido alejada. Mientras agitan las palmas, dejan oír un canto de alabanza, claro, dulce y armonioso; cada voz se une a la melodía, hasta que entre las bóvedas del cielo repercute el clamor: "Salvación a nuestro Dios que está sentado sobre el trono, y al Cordero". "Amén: La bendición y la gloria y la sabiduría, y la acción de gracias y la honra y la potencia y la fortaleza, sean a nuestro Dios para siempre jamás" (Apocalipsis 7:10, 12.)

En esta vida, podemos apenas empezar a

comprender el tema maravilloso de la redención. Con nuestra inteligencia limitada podemos considerar con todo fervor la ignominia y la gloria, la vida y la muerte, la justicia y la misericordia que se tocan en la cruz; pero ni con la mayor tensión de nuestras facultades mentales llegamos a comprender todo su significado. La largura y anchura, la profundidad y altura del amor redentor se comprenden tan sólo confusamente. El plan de la redención no se entenderá por completo ni siquiera cuando los rescatados vean como serán vistos ellos mismos y conozcan como serán conocidos; pero a través de las edades sin fin, nuevas verdades se desplegarán continuamente ante la mente admirada y deleitada. Aunque las aflicciones, las penas y las tentaciones terrenales hayan concluido, y aunque la causa de ellas haya sido suprimida, el pueblo de Dios tendrá siempre un conocimiento claro e inteligente de lo que costó su salvación.

La cruz de Cristo será la ciencia y el canto de los redimidos durante toda la eternidad. En el Cristo glorificado, contemplarán al Cristo crucificado. Nunca olvidarán que Aquel cuyo poder creó los mundos innumerables y los sostiene a través de la inmensidad del espacio, el Amado de Dios, la Majestad del cielo, Aquel a quien los querubines y los serafines resplandecientes se deleitan en adorar —se humilló para levantar al hombre caído; que llevó la culpa y el oprobio del pecado, y sintió el ocultamiento del rostro de su Padre, hasta que la maldición de un mundo perdido quebrantó su corazón y le arrancó la vida en la cruz del Calvario. El hecho de que el Hacedor de todos los mundos, el Árbitro de todos los destinos, dejase su gloria y se humillase por amor al hombre, despertará eternamente la admiración y adoración del universo. Cuando las naciones de los salvos miren a su Redentor y vean la gloria eterna del Padre brillar en su rostro; cuando contemplen su trono, que es desde la eternidad hasta la eternidad, y sepan que su reino no tendrá fin, entonces prorrumpirán en un cántico de júbilo: "¡Digno, digno es el Cordero que fue inmolado, y nos ha redimido para Dios con su propia preciosísima sangre!"

El misterio de la cruz explica todos los demás misterios. A la luz que irradia del Calvario, los atributos de Dios que nos llenaban de temor respetuoso nos resultan hermosos y atractivos. Se ve que la misericordia, la compasión y el amor paternal se unen a la santidad, la justicia y el poder. Al mismo tiempo que contemplamos la majestad de su trono, tan grande y elevado, vemos su carácter en sus manifestaciones misericordiosas y comprendemos, como nunca antes, el significado del apelativo conmovedor: "Padre nuestro".

Se echará de ver que Aquel cuya sabiduría es infinita no hubiera podido idear otro plan para salvarnos que el del sacrificio de su Hijo. La compensación de este sacrificio es la dicha de poblar la tierra con seres rescatados, santos, felices e inmortales. El resultado de la lucha del Salvador contra las potestades de las tinieblas es la dicha de los redimidos, la cual contribuirá a la gloria de Dios por toda la eternidad. Y tal es el valor del alma, que el Padre está satisfecho con el precio pagado; y Cristo mismo, al considerar los resultados de su gran sacrificio, no lo está menos.

EL FIN DEL CONFLICTO

AL FINAL de los tiempos, Cristo regresa otra vez a la tierra. Le acompaña la hueste de los redimidos, y le sigue una comitiva de ángeles. Al descender en majestad aterradora, manda a los muertos impíos que resuciten para recibir su condenación. Se levanta su gran ejército, innumerable como la arena del mar. ¡Qué contraste entre ellos y los que resucitaron en la primera resurrección! Los justos estaban revestidos de juventud y belleza inmortales. Los impíos llevan las huellas de la enfermedad y de la muerte.

Todas las miradas de esa inmensa multitud se vuelven para contemplar la gloria del Hijo de Dios. A una voz las huestes de los impíos exclaman: "¡Bendito el que viene en el nombre del Señor!" No es el amor a Jesús lo que les inspira esta exclamación, sino que el poder de la verdad arranca esas palabras de sus labios. Los impíos salen de sus tumbas tales como a ellas bajaron, con la misma enemistad hacia Cristo y el mismo espíritu de rebelión. No disponen de un nuevo tiempo de gracia para remediar los defectos de su vida pasada, pues de nada les serviría. Toda una vida de pecado no ablandó sus corazones. De serles concedido un segundo tiempo de gracia, lo emplearían como el primero, eludiendo las exigencias de Dios e incitándose a la rebelión contra él.

Cristo baja sobre el Monte de los Olivos, de donde ascendió después de su resurrección, y donde los ángeles repitieron la promesa de su regreso. El profeta dice: "Vendrá Jehová mi Dios, y con él todos los santos". "Y afirmaránse sus pies en aquel día sobre el monte de las Olivas, que está frente de Jerusalem a la parte de oriente: y el monte de las Olivas, se partirá por medio . . . haciendo un muy grande valle". "Y Jehová será rey sobre toda la tierra. En aquel día Jehová será uno, y uno su nombre" (Zacarías 14:5, 4, 9). La nueva Jerusalén, descendiendo del cielo en su deslumbrante esplendor, se asienta en el lugar purificado y preparado para recibirla, y Cristo, su pueblo y los ángeles, entran en la santa ciudad.

Entonces Satanás se prepara para la última

tremenda lucha por la supremacía. Mientras estaba despojado de su poder e imposibilitado para hacer su obra de engaño, el príncipe del mal se sentía abatido y desgraciado; pero cuando resucitan los impíos y ve las grandes multitudes que tiene al lado suyo, sus esperanzas reviven y resuelve no rendirse en el gran conflicto. Alistará bajo su bandera a todos los ejércitos de los perdidos y por medio de ellos tratará de ejecutar sus planes. Los impíos son sus cautivos. Al rechazar a Cristo aceptaron la autoridad del jefe de los rebeldes. Están listos para aceptar sus sugestiones y ejecutar sus órdenes. No obstante, fiel a su antigua astucia, no se manifista como Satanás. Pretende ser el príncipe que tiene derecho a la posesión de la tierra y cuya herencia le ha sido arrebatada injustamente. Se presenta ante sus súbditos engañados como redentor, asegurándoles que su poder los ha sacado de sus tumbas y que está a punto de librarlos de la más cruel tiranía. Habiendo desaparecido Cristo, Satanás obra milagros para sostener sus pretensiones. Fortalece a los débiles y a todos les infunde su propio espíritu y energía. Propone dirigirlos contra el real de los santos y tomar posesión de la ciudad de Dios. En un arrebato belicoso señala los innumerables millones que han sido resucitados de entre los muertos, y declara que como jefe de ellos es muy capaz de destruir la ciudad y recuperar su trono y su reino.

Entre aquella inmensa muchedumbre se cuentan numerosos representantes de la raza longeva que existía antes del diluvio; hombres de estatura elevada y de capacidad intelectual gigantesca, que habiendo cedido al dominio de los ángeles caídos, consagraron toda su habilidad y todos sus conocimientos a la exaltación de sí mismos; hombres cuyas obras artísticas maravillosas hicieron que el mundo idolatrase su genio, pero cuya crueldad y malos ardides mancillaron la tierra y borraron la imagen de Dios, de suerte que el Creador los hubo de raer de la superficie de la tierra. Allí hay reyes y generales que conquistaron naciones, hombres valientes que nunca perdieron una batalla, guerreros soberbios y ambiciosos cuya venida hacía temblar reinos. La muerte no los cambió. Al salir de la tumba, reasumen el curso de sus pensamientos en el punto mismo en que lo dejaran. Se levantan animados por el mismo deseo de conquista que los dominaba cuando cayeron.

> *Entre aquella inmensa muchedumbre se cuentan numerosos representantes de la raza longeva que existía antes del diluvio; hombres de estatura elevada y de capacidad intelectual gigantesca.*

Satanás consulta con sus ángeles, y luego con esos reyes, conquistadores y hombres poderosos. Consideran la fuerza y el número de los suyos, y declaran que el ejército que está dentro de la ciudad es pequeño, comparado con el de ellos, y que se lo puede vencer. Preparan sus planes para apoderarse de las riquezas y gloria de la nueva Jerusalén. En el acto todos se disponen para la batalla. Hábiles artífices fabrican armas de guerra. Renombrados caudillos organizan en compañías y divisiones las muchedumbres de guerreros.

Al fin se da la orden de marcha, y las huestes innumerables se ponen en movimiento —un ejército cual no fue jamás reunido por conquistadores terrenales ni podría ser igualado por las fuerzas combinadas de todas las edades desde que empezaron las guerras en la tierra. Satanás, el más poderoso guerrero, marcha al frente, y sus ángeles unen sus fuerzas para esta batalla final. Hay reyes y guerreros en su comitiva, y las multitudes siguen en grandes compañías, cada cual bajo su correspondiente jefe. Con precisión militar las columnas cerradas avanzan sobre la superficie desgarrada y escabrosa de la tierra hacia la ciudad de Dios. Por orden de Jesús, se cierran las puertas de la nueva Jerusalén, y los ejércitos de Satanás circundan la ciudad y se preparan para el asalto.

Entonces Cristo reaparece a la vista de sus enemigos. Muy por encima de la ciudad, sobre un fundamento de oro bruñido, hay un trono alto y encumbrado. En el trono está sentado el Hijo de Dios, y en torno suyo están los súbditos de su reino. Ningún lenguaje, ninguna pluma pueden expresar ni describir el poder y la majestad de Cristo. La gloria del Padre Eterno envuelve a su Hijo. El esplendor de su presencia llena la ciudad de Dios, rebosando más allá de las puertas e inundando toda la tierra con su brillo.

Inmediatos al trono se encuentran los que fueron alguna vez celosos en la causa de Satanás, pero que, cual tizones arrancados del fuego, siguieron luego a su Salvador con profunda e intensa devoción. Vienen después los que perfeccionaron su carácter cristiano en medio de la mentira y de la incredulidad, los que honraron la ley de Dios cuando el mundo cristiano la declaró abolida, y los millones de todas las edades que fueron martirizados por su fe. Y más allá está la "grande muchedumbre, que nadie podía contar, de entre todas las naciones, y las tribus, y los pueblos, y las lenguas… de pie ante el trono y delante del Cordero, revestidos de ropas blancas, y teniendo palmas en sus manos" (Apocalipsis 7:9, V.M.). Su lucha terminó; ganaron la victoria. Disputaron el premio de la carrera y lo alcanzaron. La palma que llevan en la mano es símbolo de su triunfo, la vestidura blanca, emblema de la justicia perfecta de Cristo que es ahora de ellos.

Los redimidos entonan un canto de alabanza que se extiende y repercute por las bóvedas del cielo: "¡Atribúyase la salvación a nuestro Dios, que está sentado sobre el trono, y al Cordero!" (Vers. 10). Ángeles y serafines unen sus voces en adoración. Al ver los redimidos el poder y la malignidad de Satanás, han comprendido, como nunca antes, que ningún poder fuera del de Cristo habría podido hacerlos vencedores. Entre toda esa muchedumbre ni uno se atribuye a sí mismo la salvación, como si hubiese prevalecido con su propio poder y su bondad. Nada se dice de lo que han hecho o sufrido, sino que el tema de cada canto, la nota dominante de cada antífona es: Salvación a nuestro Dios y al Cordero.

En presencia de los habitantes de la tierra y del cielo reunidos, se efectúa la coronación final del Hijo de Dios. Y entonces, revestido de suprema majestad y poder, el Rey de reyes falla el juicio de aquellos que se rebelaron contra su gobierno, y ejecuta justicia contra los que transgredieron su ley y oprimieron a su pueblo. El profeta de Dios dice: "Vi un gran trono blanco, y al que estaba sentado sobre él, de cuya presencia huyó la tierra y el cielo; y no fue hallado lugar para ellos. Y vi a los muertos, pequeños y grandes, estar en pie delante del trono; y abriéronse los libros; abrióse también otro libro, que es el libro de la vida: y los muertos fueron juzgados de acuerdo con las cosas escritas en los libros, según sus obras" (Apocalipsis 20:11-12, V.M.).

Apenas se abren los registros, y la mirada de Jesús se dirige hacia los impíos, éstos se vuelven conscientes de todos los pecados que cometieron. Reconocen exactamente el lugar donde sus pies se apartaron del sendero de la pureza y de la santidad, y cuán lejos el orgullo y la rebelión los han llevado en el camino de la transgresión de la ley de Dios. Las tentaciones seductoras que ellos fomentaron cediendo al pecado, las bendiciones que pervirtieron, su desprecio de los mensajeros de Dios, los avisos rechazados, la oposición de corazones obstinados y sin arrepentimiento —todo eso sale a relucir como si estuviese escrito con letras de fuego.

Por encima del trono se destaca la cruz; y como en vista panorámica aparecen las escenas de la tentación, la caída de Adán y las fases sucesivas del gran plan de redención. El humilde nacimiento del Salvador; su juventud pasada en la sencillez y en la obediencia; su bautismo en el Jordán; el ayuno y la tentación en el desierto; su ministerio público, que reveló a los hombres las bendiciones más preciosas del cielo; los días repletos de obras de amor y misericordia, y las noches pasadas en oración y vigilia en la soledad de los montes; las conspiraciones de la envidia, del odio y de la malicia con que se recompensaron sus beneficios; la terrible y misteriosa agonía en Getsemaní, bajo el peso anonadador de los pecados de todo el mundo; la traición que le entregó en manos de la turba asesina; los terribles acontecimientos de esa noche de horror —el preso resignado y olvidado de sus discípulos más amados, arrastrado brutalmente por las calles de Jerusalén; el hijo de Dios presentado con visos de triunfo ante Anás, obligado a comparecer en el palacio del sumo sacerdote, en el pretorio de Pilato, ante el cobarde y cruel Herodes; ridiculizado, insultado, atormentado y condenado a muerte- todo eso está representado a lo vivo.

Luego, ante las multitudes agitadas, se reproducen las escenas finales: el paciente Varón de dolores pisando el sendero del Calvario; el Príncipe del cielo colgado de la cruz; los sacerdotes altaneros y el populacho escarnecedor ridiculizando la agonía de su muerte; la oscuridad sobrenatural; el temblor de la tierra, las rocas destrozadas y los sepulcros abiertos que señalaron el momento en que expiró el Redentor del mundo.

La escena terrible se presenta con toda exactitud. Satanás, sus ángeles y sus súbditos no pueden apartar los ojos del cuadro que representa su propia obra. Cada actor recuerda el papel que desempeñó. Herodes, el que mató a los niños inocentes de Belén para hacer morir al Rey de Israel; la innoble Herodías, sobre cuya conciencia pesa la sangre de Juan el Bautista; el débil Pilato, esclavo de las circunstancias; los soldados escarnecedores; los sacerdotes y gobernantes, y la muchedumbre enloquecida que gritaba: "¡Recaiga su sangre sobre nosotros, y sobre nuestros hijos!" —todos contemplan la enormidad de su culpa. En vano procuran esconderse ante la divina majestad de su presencia que sobrepuja el resplandor del sol, mientras que los redimidos echan sus coronas a los pies del Salvador, exclamando: "¡El murió por mí!"

Entre la multitud de los rescatados están los apóstoles de Cristo, el heroico Pablo, el ardiente Pedro, el amado y amoroso Juan y sus hermanos de corazón leal, y con ellos la inmensa hueste de los mártires; mientras que fuera de los muros, con todo lo que es vil y abominable, se encuentran aquellos que los persiguieron, encarcelaron y mataron. Allí está Nerón, monstruo de crueldad y de vicios, y puede ver la alegría y el triunfo de aquellos a quienes torturó, y cuya dolorosa angustia le proporcionara deleite satánico. Su madre está allí para ser testigo de los resultados de su propia obra; para ver cómo los malos rasgos de carácter transmitidos a su hijo y las pasiones fomentadas y desarrolladas por la influencia y el ejemplo de ella, produjeron crímenes que horrorizaron al mundo.

> Como fuera de sí, los impíos han contemplado la coronación del Hijo de Dios. Ven en las manos de él las tablas de la ley divina, los estatutos que ellos despreciaron y transgredieron.

Allí hay sacerdotes y prelados papistas, que dijeron ser los embajadores de Cristo y que no obstante emplearon instrumentos de suplicio, calabozos y hogueras para dominar las conciencias de su pueblo. Allí están los orgullosos pontífices que se ensalzaron por encima de Dios y que pretendieron alterar la ley del Altísimo. Aquellos así llamados padres de la iglesia tienen que rendir a Dios una cuenta de la que bien quisieran librarse. Demasiado tarde ven que el Omnisciente es celoso de su ley y que no tendrá por inocente al culpable de violarla. Comprenden entonces que Cristo identifica sus intereses con los de su pueblo perseguido, y sienten la fuerza de sus propias palabras: "En cuanto lo hicisteis a uno de los más pequeños de estos mis hermanos, a mí lo hicisteis" (S. Mateo 25:40 V.M).

Todos los impíos del mundo están de pie ante el tribunal de Dios, acusados de alta traición contra el gobierno del cielo. No hay quien sostenga ni defienda la causa de ellos; no tienen disculpa; y se pronuncia contra ellos la sentencia de la muerte eterna.

Es entonces evidente para todos que el salario del pecado no es la noble independencia y la vida eterna, sino la esclavitud, la ruina y la muerte. Los impíos ven lo que perdieron con su vida de rebeldía. Despreciaron el maravilloso don de eterna gloria cuando les fue ofrecido; pero ¡cuán deseable no les parece ahora! "Todo eso —exclama el alma perdida— yo habría podido poseerlo; pero preferí rechazarlo. ¡Oh sorprendente infatuación! He cambiado la paz, la dicha y el honor por la miseria, la infamia y la desesperación. Todos ven que su exclusión del cielo es justa. Por sus vidas, declararon: "No queremos que este Jesús reine sobre nosotros".

Como fuera de sí, los impíos han contemplado la coronación del Hijo de Dios. Ven en las manos de él las tablas de la ley divina, los estatutos que ellos despreciaron y transgredieron. Son testigos de la explosión de admiración, arrobamiento y adoración de los redimidos; y cuando las ondas de melodía inundan a las multitudes fuera de la ciudad, todos exclaman a una voz: "¡Grandes y maravillosas son tus obras, oh Señor Dios Todopoderoso; justos y verdaderos son tus caminos, oh Rey de los siglos!" (Apocalipsis 15:3, V.M.). Y cayendo prosternados, adoran al Príncipe de la vida.

Satanás parece paralizado al contemplar la gloria y majestad de Cristo. El que en otro tiempo fuera uno de los querubines cubridores recuerda de dónde cayó. Él, que fuera serafín resplandeciente, "hijo de la aurora," ¡cuán cambiado se ve, y cuán degradado! Está excluído para siempre del consejo en que antes se le honraba. Ve ahora a otro que, junto al Padre, vela su gloria. Ha visto la corona colocada sobre la

cabeza de Cristo por un ángel de elevada estatura y majestuoso continente, y sabe que la posición exaltada que ocupa este ángel habría podido ser la suya.

Recuerda la mansión de su inocencia y pureza, la paz y el contentamiento de que gozaba hasta que se entregó a murmurar contra Dios y a envidiar a Cristo. Sus acusaciones, su rebelión, sus engaños para captarse la simpatía y la ayuda de los ángeles, su porfía en no hacer esfuerzo alguno para reponerse cuando Dios le hubiera perdonado, todo eso se le presenta a lo vivo. Echa una mirada retrospectiva sobre la obra que realizó entre los hombres y sobre sus resultados: la enemistad del hombre para con sus semejantes, la terrible destrucción de vidas, el ascenso y la caída de los reinos, el derrocamiento de tronos, la larga serie de tumultos, conflictos y revoluciones. Recuerda los esfuerzos constantes que hizo para oponerse a la obra de Cristo y para hundir a los hombres en degradación siempre mayor. Ve que sus conspiraciones infernales no pudieron acabar con los que pusieron su confianza en Jesús. Al considerar Satanás su reino y los frutos de sus esfuerzos, sólo ve fracaso y ruina. Ha inducido a las multitudes a creer que la ciudad de Dios sería fácil presa; pero ahora ve que eso es falso. Una y otra vez, en el curso de la gran controversia, ha sido derrotado y obligado a rendirse. De sobra conoce el poder y la majestad del Eterno.

El propósito del gran rebelde consistió siempre en justificarse, y en hacer aparecer al gobierno de Dios como responsable de la rebelión. A ese fin dedicó todo el poder de su gigantesca inteligencia. Obró deliberada y sistemáticamente, y con éxito maravilloso, para inducir a inmensas multitudes a que aceptaran su versión del gran conflicto que ha estado desarrollándose por tanto tiempo. Durante miles de años este jefe de conspiraciones hizo pasar la mentira por verdad. Pero llegó el momento en que la rebelión debe ser sofocada finalmente y puestos en evidencia la historia y el carácter de Satanás. El archiengañador ha sido desenmascarado por completo en su último gran esfuerzo para destronar a Cristo, destruir a su pueblo y apoderarse de la ciudad de Dios. Los

> *El propósito del gran rebelde consistió siempre en justificarse, y en hacer aparecer al gobierno de Dios como responsable de la rebelión. A ese fin dedicó todo el poder de su gigantesca inteligencia.*

que se han unido a él, se dan cuenta del fracaso total de su causa. Los discípulos de Cristo y los ángeles leales contemplan en toda su extensión las maquinaciones de Satanás contra el gobierno de Dios. Ahora se vuelve objeto de execración universal.

Satanás ve que su rebelión voluntaria le incapacitó para el cielo. Ejercitó su poder guerreando contra Dios; la pureza, la paz y la armonía del cielo serían para él suprema tortura. Sus acusaciones contra la misericordia y justicia de Dios están ya acalladas. Los vituperios que procuró lanzar contra Jehová recaen enteramente sobre él. Y ahora Satanás se inclina y reconoce la justicia de su sentencia.

"¿Quién no te temerá, oh Señor, y

glorificará tu nombre? porque tú solo eres santo: porque todas las naciones vendrán y adorarán delante de ti; porque tus actos de justicia han sido manifestados" (Vers. 4). Toda cuestión de verdad y error en la controversia que tanto ha durado, ha quedado aclarada. Los resultados de la rebelión y del apartamiento de los estatutos divinos han sido puestos a la vista de todos los seres inteligentes creados. El desarrollo del gobierno de Satanás en contraste con el de Dios, ha sido presentado a todo el universo. Satanás ha sido condenado por sus propias obras. La sabiduría de Dios, su justicia y su bondad quedan por completo reivindicadas. Queda también comprobado que todos sus actos en el gran conflicto fueron ejecutados de acuerdo con el bien eterno de su pueblo y el bien de todos los mundos que creó. "Todas tus obras alabarán, oh Jehová, y tus piadosos siervos te bendecirán" (Salmo 145:10, V.M.). La historia del pecado atestiguará durante toda la eternidad que con la existencia de la ley de Dios se vincula la dicha de todos los seres creados por él. En vista de todos los hechos del gran conflicto, todo el universo, tanto los justos como los rebeldes, declaran al unísono: "¡Justos y verdaderos son tus caminos, oh Rey de los siglos!"

El universo entero contempló el gran sacrificio hecho por el Padre y el Hijo en beneficio del hombre. Ha llegado la hora en que Cristo ocupa el puesto a que tiene derecho, y es exaltado sobre los principados y potestades, y sobre todo nombre que se nombra. A fin de alcanzar el gozo que le fuera propuesto —el de llevar muchos hijos a la gloria— sufrió la cruz y menospreció la vergüenza. Y por inconcebiblemente grandes que fuesen el dolor y el oprobio, mayores aún son la dicha y la gloria. Echa una mirada hacia los redimidos, transformados a su propia imagen, y cuyos corazones llevan el sello perfecto de lo divino y cuyas caras reflejan la semejanza de su Rey. Contempla en ellos el resultado de las angustias de su alma, y está satisfecho. Luego, con voz que llega hasta las multitudes reunidas de los justos y de los impíos, exclama: "¡Contemplad el rescate de mi sangre! Por éstos sufrí, por éstos morí, para que pudiesen permanecer en mi

> *El universo entero contempló el gran sacrificio hecho por el Padre y el Hijo en beneficio del hombre. Ha llegado la hora en que Cristo ocupa el puesto a que tiene derecho, y es exaltado sobre los principados y potestades, y sobre todo nombre que se nombra.*

presencia a través de las edades eternas". Y de entre los revestidos con túnicas blancas en torno del trono, asciende el canto de alabanza: "¡Digno es el Cordero que ha sido inmolado, de recibir el poder, y la riqueza, y la sabiduría, y la fortaleza, y la honra, y la gloria, y la bendición!" (Apocalipsis 5:12, V.M.).

A pesar de que Satanás se ha visto obligado a reconocer la justicia de Dios, y a inclinarse ante la supremacía de Cristo, su carácter sigue siendo el mismo. El espíritu de rebelión, cual poderoso torrente, vuelve a estallar. Lleno de frenesí, determina no cejar en el gran conflicto. Ha llegado la hora de intentar un último y desesperado esfuerzo contra el Rey del cielo. Se lanza en medio de sus súbditos, y trata de inspirarlos con su propio furor y de moverlos a dar inmediata batalla. Pero entre todos los innumerables millones a quienes indujo engañosamente a la rebelión, no hay ahora ninguno que reconozca su supremacía. Su poder ha concluido. Los impíos están llenos del mismo odio contra Dios que el que inspira a Satanás; pero ven que su caso es desesperado, que no pueden prevalecer contra Jehová. Se enardecen contra Satanás y contra los que fueron sus agentes para engañar, y con furia demoníaca se vuelven contra ellos.

Dice el Señor: "Por cuanto has puesto tu corazón como corazón de Dios, por tanto, he aquí que voy a traer contra ti extraños, los terribles de las naciones; y ellos desenvainarán sus espadas contra tu hermosa sabiduría, y profanarán tu esplendor. Al hoyo te harán descender". "Te destruyo, ¡oh querubín que cubres con tus alas! y te echo de en medio de las piedras de fuego.... Te echo a tierra; te pongo delante de reyes, para que te miren.... Te torno en ceniza sobre la tierra, ante los ojos de todos los que te ven.... Serás ruinas, y no existirás más para siempre" (Ezequiel 28:6-8, 16-19, V.M).

"Porque toda batalla de quien pelea es con estruendo, y con revolcamiento de vestidura en sangre: mas esto será para quema, y pábulo de fuego". "Porque Jehová está airado sobre todas las gentes, e irritado sobre todo el ejército de ellas; destruirálas y entregarálas al matadero". "Sobre los malos lloverá lazos; fuego y azufre, con vientos de torbellinos, será la porción del cáliz de ellos" (Isaías 9:5; 34:2; Salmo 11:6). Dios hace descender fuego del cielo. La tierra está quebrantada. Salen a relucir las armas escondidas en sus profundidades. Llamas devoradoras se escapan por todas partes de grietas amenazantes. Hasta las rocas están ardiendo. Ha llegado el día que arderá como horno. Los elementos se disuelven con calor abrasador, la tierra también y las obras que hay

en ella están abrasadas (Malaquías 4:2; 2 Pedro 3:10). La superficie de la tierra parece una masa fundida un inmenso lago de fuego hirviente. Es la hora del juicio y perdición de los hombres impíos,- "es día de venganza de Jehová, año de retribuciones en el pleito de Sión" (Isaías 34: 8).

Los impíos reciben su recompensa en la tierra (Proverbios 11:31). "Serán estopa; y aquel día que vendrá, los abrasará, ha dicho Jehová de los ejércitos" (Malaquías 4:1). Algunos son destruídos como en un momento, mientras otros sufren muchos días. Todos son castigados "conforme a sus hechos". Habiendo sido cargados sobre Satanás los pecados de los justos, tiene éste que sufrir no sólo por su propia rebelión, sino también por todos los pecados que hizo cometer al pueblo de Dios. Su castigo debe ser mucho mayor que el de aquellos a quienes engañó. Después de haber perecido todos los que cayeron por sus seducciones, el diablo tiene que seguir viviendo y sufriendo. En las llamas purificadoras, quedan por fin destruidos los impíos, raíz y rama, —Satanás la raíz, sus secuaces las ramas. La penalidad completa de la ley ha sido aplicada; las exigencias de la justicia han sido satisfechas; y el cielo y la tierra al contemplarlo, proclaman la justicia de Jehová.

La obra de destrucción de Satanás ha terminado para siempre. Durante seis mil años obró a su gusto, llenando la tierra de dolor y causando penas por todo el universo. Toda la creación gimió y sufrió en angustia. Ahora las criaturas de Dios han sido libradas para siempre de su presencia y de sus tentaciones. "¡Ya descansa y está en quietud toda la tierra; prorrumpen los hombres [justos] en cánticos!" (Isaías 14:7, V.M.). Y un grito de adoración y triunfo sube de entre todo el universo leal. Se oye "como si fuese el estruendo de una gran multitud, y como si fuese el estruendo de muchas aguas, y como si fuese el estruendo de poderosos truenos, que decían: ¡Aleluya; porque reina el Señor Dios, el Todopoderoso!" (Apocalipsis 19: 6, V.M.).

Sólo queda un recuerdo: nuestro Redentor llevará siempre las señales de su crucifixión. En su cabeza herida, en su costado, en sus manos y en sus pies se ven las únicas huellas de la obra cruel efectuada por el pecado.

Mientras la tierra estaba envuelta en el fuego de la destrucción, los justos vivían seguros en la ciudad santa. La segunda muerte no tiene poder sobre los que tuvieron parte en la primera resurrección. Mientras Dios es para los impíos un fuego devorador, es para su pueblo un sol y un escudo (Apocalipsis 20:6; Salmo 84:11).

"Vi un cielo nuevo y una tierra nueva; porque el primer cielo y la primera tierra han pasado" (Apocalipsis 21:1, V.M.). El fuego que consume a los impíos purifica la tierra. Desaparece todo rastro de la maldición. Ningún infierno que arda eternamente recordará a los redimidos las terribles consecuencias del pecado.

Sólo queda un recuerdo: nuestro Redentor llevará siempre las señales de su crucifixión. En su cabeza herida, en su costado, en sus manos y en sus pies se ven las únicas huellas de la obra cruel efectuada por el pecado. El profeta, al contemplar a Cristo en su gloria, dice: "Su resplandor es como el fuego, y salen de su mano rayos de luz; y allí mismo está el escondedero de su poder" (Habacuc 3:4, V.M.). En sus manos, y su costado heridos, de donde manó la corriente purpurina que reconcilió al hombre con Dios, allí está la gloria del Salvador, "allí mismo está el escondedero de su poder". "Poderoso para salvar" por el sacrificio de la redención, fue por consiguiente fuerte para ejecutar la justicia para con aquellos que despreciaron la misericordia de Dios. Y las marcas de su humillación son su mayor honor; a través de las edades eternas, las llagas del Calvario proclamarán su alabanza y declararán su poder. "¡Oh, torre del rebaño, colina de la hija de Sión, a ti te llegará; sí, a ti vendrá el dominio anterior!" (Miqueas 4:8, V.M.). Llegó el momento por el cual suspiraron los santos desde que la espada de fuego expulsó a la primera pareja del paraíso —el tiempo de "la redención de la posesión adquirida" (Efesios 1:14). La tierra dada al principio al hombre para que fuera su reino, entregada alevosamente por él a manos de Satanás, y conservada durante tanto tiempo por el poderoso enemigo, ha sido recuperada mediante el gran plan de la redención. Todo lo que se había perdido por el pecado, ha sido restaurado. "Así dice Jehová,... el que formó la tierra y la hizo, el cual la estableció; no en vano la creó, sino que para ser habitada la formó" (Isaías 45:18, V.M.). El propósito primitivo que tenía Dios al crear la tierra se cumple al convertirse ésta en la morada eterna de los redimidos. "Los justos heredarán la tierra, y vivirán para siempre sobre ella" (Salmo 37:29).

El temor de hacer aparecer la futura herencia de los santos demasiado material ha inducido a muchos a espiritualizar aquellas verdades que nos hacen considerar la tierra como nuestra morada. Cristo aseguró a sus discípulos que iba a preparar mansiones para ellos en la casa de su Padre. Los que aceptan las enseñanzas de la Palabra de Dios no ignorarán por completo lo que se refiere a la patria celestial. Y sin embargo son "cosas que ojo no vio, ni oído oyó, y que jamás entraron en pensamiento humano las cosas grandes que ha preparado Dios para los que le aman" (1 Corintios 2:9, V.M.). El lenguaje humano no alcanza a describir la recompensa de los justos. Sólo la conocerán quienes la contemplen. Ninguna inteligencia limitada puede comprender la gloria del paraíso de Dios.

En la Biblia se llama la herencia de los bienaventurados una patria (Hebreos 11:14-16). Allí conduce el divino Pastor a su rebaño a los manantiales de aguas vivas. El árbol de vida da su fruto cada mes, y las hojas del árbol son para el servicio de las naciones. Allí hay corrientes que manan eternamente, claras como el cristal, al lado de las cuales se mecen árboles que echan su sombra sobre los senderos preparados para los redimidos del Señor. Allí las vastas llanuras alternan con bellísimas colinas y las montañas de Dios elevan sus majestuosas cumbres. En aquellas pacíficas llanuras, al borde de aquellas corrientes vivas, es donde el pueblo de Dios que por tanto tiempo anduvo peregrino y errante, encontrará un hogar.

"Mi pueblo habitará en mansión de paz, en moradas seguras, en descansaderos tranquilos". "No se oirá más la violencia en tu tierra, la desolación ni la destrucción dentro de tus términos; sino que llamarás a tus muros Salvación, y a tus puertas Alabanza". "Edificarán casas también, y habitarán en ellas; plantarán viñas, y comerán su fruto. No edificarán más para que otro habite, ni plantarán para que otro coma;... mis escogidos agotarán el usufructo de la obra de sus manos" (Isaías 32:18; 60:18; 65:21-22, V.M).

Allí "se alegrarán el desierto y el sequedal, y el yermo se regocijará y florecerá como la rosa". "En vez del espino subirá el abeto, y en lugar de la zarza subirá el arrayán". "Habitará el lobo con el cordero, y el leopardo sesteará junto con el cabrito;... y un niñito los conducirá". "No dañarán, ni destruirán en todo mi santo monte," dice el Señor (Isaías 35:1; 55:13; 11:6, 9, V.M.).

El dolor no puede existir en el ambiente del cielo. Allí no habrá más lágrimas, ni cortejos fúnebres, ni manifestaciones de duelo. "Y la muerte no será más; ni habrá más gemido ni clamor, ni dolor; porque las cosas de antes han pasado ya". "No dirá más el habitante: Estoy enfermo; al pueblo que mora en ella le habrá sido perdonada su iniquidad" (Apocalipsis 21:4; Isaías 33:24, V.M.).

Allí está la nueva Jerusalén, la metrópoli de la nueva tierra glorificada, "corona de hermosura en la mano de Jehová, y una diadema real en la mano de nuestro Dios". "Su luz era semejante a una piedra preciosísima, como piedra de jaspe, transparente como el cristal". "Las naciones andarán a la luz de ella; y los reyes de la tierra traen a ella su gloria". El Señor dijo: "Me regocijaré en Jerusalem, y gozaréme en mi pueblo". "¡He aquí el tabernáculo de Dios está con los hombres, y él habitará con ellos, y ellos serán pueblos suyos, y el mismo Dios con ellos estará, como Dios suyo!" (Isaías 62:3; Apocalipsis 21:11, 24; Isaías 65:19; Apocalipsis 21:3, V.M).

En la ciudad de Dios "no habrá ya más noche". Nadie necesitará ni deseará descanso. No habrá quien se canse haciendo la voluntad de Dios ni ofreciendo alabanzas a su nombre. Sentiremos siempre la frescura de la mañana, que nunca se agostará. "No necesitan luz de lámpara, ni luz del sol; porque el Señor Dios los alumbrará" (Apocalipsis 22:5, V.M.). La luz del sol será sobrepujada por un brillo que sin deslumbrar la vista excederá sin medida la claridad de nuestro mediodía. La gloria de Dios y del Cordero inunda la ciudad santa con una luz que nunca se desvanece. Los redimidos andan en la luz gloriosa de un día eterno que no necesita sol.

"No vi templo en ella; porque el Señor Dios Todopoderoso, y el Cordero son el templo de ella" (Apocalipsis 21:22, V.M.). El pueblo de Dios tiene el privilegio de tener comunión directa con el Padre y el Hijo. "Ahora vemos obscuramente, como por medio de un espejo" (1 Corintios 13:12, V.M.). Vemos la imagen de Dios reflejada como en un espejo en las obras de la naturaleza y en su modo de obrar para con los hombres; pero entonces le veremos cara a cara sin velo que nos lo oculte. Estaremos en su presencia y contemplaremos la gloria de su rostro.

Allí los redimidos conocerán como son conocidos. Los sentimientos de amor y simpatía que el mismo Dios implantó en el alma, se desahogarán del modo más completo y más dulce. El trato puro con seres santos, la vida social y armoniosa con los ángeles bienaventurados y con los fieles de todas las edades que lavaron sus vestiduras y las emblanquecieron en la sangre del Cordero, los lazos sagrados que unen a "toda la familia en los cielos, y en la tierra" (Efesios 3:15, V.M.), —todo eso constituye la dicha de los redimidos.

Allí intelectos inmortales contemplarán con eterno deleite las maravillas del poder creador, los misterios del amor redentor. Allí no habrá enemigo cruel y engañador para tentar a que se olvide a Dios. Toda facultad será desarrollada, toda capacidad aumentada. La adquisición de conocimientos no cansará la inteligencia ni agotará las energías. Las mayores empresas podrán llevarse a cabo, satisfacerse las aspiraciones más sublimes, realizarse las más encumbradas ambiciones; y sin embargo surgirán nuevas alturas que superar, nuevas maravillas que admirar, nuevas verdades que comprender, nuevos objetos que aguen las

facultades del espíritu, del alma y del cuerpo.

Todos los tesoros del universo se ofrecerán al estudio de los redimidos de Dios. Libres de las cadenas de la mortalidad, se lanzan en incansable vuelo hacia los lejanos mundos -mundos a los cuales el espectáculo de las miserias humanas causaba estremecimientos de dolor, y que entonaban cantos de alegría al tener noticia de un alma redimida. Con indescriptible dicha los hijos de la tierra participan del gozo y de la sabiduría de los seres que no cayeron. Comparten los tesoros de conocimientos e inteligencia adquiridos durante siglos y siglos en la contemplación de las obras de Dios. Con visión clara consideran la magnificencia de la creación -soles y estrellas y sistemas planetarios que en el orden a ellos asignado circuyen el trono de la Divinidad. El nombre del Creador se encuentra escrito en todas las cosas, desde las más pequeñas hasta las más grandes, y en todas ellas se ostenta la riqueza de su poder.

Y a medida que los años de la eternidad transcurran, traerán consigo revelaciones más ricas y aún más gloriosas respecto de Dios y de Cristo. Así como el conocimiento es progresivo, así también el amor, la reverencia y la dicha irán en aumento. Cuanto más sepan los hombres acerca de Dios, tanto más admirarán su carácter. A medida que Jesús les descubra la riqueza de la redención y los hechos asombrosos del gran conflicto con Satanás, los corazones de los redimidos se estremecerán con gratitud siempre más ferviente, y con arrebatadora alegría tocarán sus arpas de oro; y miríadas de miríadas y millares de millares de voces se unirán para engrosar el potente coro de alabanza.

"Y a toda cosa creada que está en el cielo, y sobre la tierra, y debajo de la tierra, y sobre el mar, y a todas las cosas que hay en ellos, las oí decir: ¡Bendición, y honra y gloria y dominio al que está sentado sobre el trono, y al Cordero, por los siglos de los siglos!" (Apocalipsis 5:13, V.M).

El gran conflicto ha terminado. Ya no hay más pecado ni pecadores. Todo el universo está purificado. La misma pulsación de armonía y de gozo late en toda la creación. De Aquel que todo lo creó manan vida, luz y contentamiento por toda la extensión del espacio infinito. Desde el átomo más imperceptible hasta el mundo más vasto, todas las cosas animadas e inanimadas, declaran en su belleza sin mácula y en júbilo perfecto, que Dios es amor.

Apéndice

Las páginas de este libro han destilado esperanza, porque a pesar de mostrar la historia humana como escenario de los dramas más desgarradores, nos ha revelado la solución: conocer a Jesús de Nazaret. Sólo en la palabra del divino Redentor sacia el alma su sed de paz y gozo. Nuestra reacción ante su llamado y nuestra actitud ante sus enseñanzas contenidas en la Santa Biblia determinarán nuestro destino final. A continuación le ofrecemos una lista resumida de dichas verdades para facilitar el estudio de estos temas tan importantes. Para más información escriba a nuestra dirección editorial, o visite la Iglesia Adventista más cercana.

16 VERDADES VITALES PARA LA FELICIDAD Y LA SALVACION

1. La inspiración de las Sagradas Escrituras, es fundamento de nuestra seguridad en materia religiosa, y convierte ese maravilloso libro en la norma suprema de nuestra fe y la pauta de nuestra vida. Ella es completa en sí misma, y no necesita ningún agregado, porque cuando San Pablo dice que "toda Escritura es inspirada por Dios", agrega también que es "útil para enseñar, para redargüir, para corregir, para instruir en justicia, a fin de que el hombre de Dios sea perfecto, enteramente preparado para toda buena obra" (2 Timoteo 3:16-17). El obedecer sus preceptos e identificarnos con ella, nos permitirá colocarnos a cubierto de todos los peligros y rechazar con éxito todos los ataques del enemigo, como lo hizo nuestro Señor cuando respondía a toda tentación con un "Escrito está" (S. Mateo 4).

2. Las tres Personas que componen la Divinidad son el Padre, el Hijo y el Espíritu Santo. Cada una de ellas es divina, y es una persona en sí, pero las tres constituyen una unidad perfecta que no encuentra símil alguno en la Tierra, de manera que piensan, planean y actúan en absoluta y perfecta consonancia (S. Mateo 28:19; S. Juan 17:21-22; 16:7, 13-14). El misterio de su cabal unidad, armonía e interdependencia, dentro de su individualidad como personas, nunca será abarcado en esta tierra por la mente finita del hombre, como un vaso no puede contener la mar.

3. Dios el creador de todo cuanto existe (Génesis 1). He aquí algunas de sus notables características:

Tiene vida en sí, porque es el autor de la vida. S. Juan 5:26

Es un Dios personal, y a la vez omnipresente. Salmo 139:7-12. Es Todopoderoso. S. Mateo 19:26

Aunque está en todas partes, el Creador está por encima y es diferente de la criatura, por ello la Biblia rechaza el error panteísta de hacer de los seres y las cosas parte de Dios. Romanos 1:21-23.

Dios es amor, y por esto dio por el hombre lo mejor que tenía, a su propio Hijo Jesucristo. 1 S. Juan 4:8-9; S. Juan 3:16.

Es justo, y a la vez lleno de misericordia y bondad. Salmo 129:4; Nehemías 9:31.

4. Jesucristo es el Hijo de Dios, el personaje central de las Escrituras, y la única y gran esperanza del hombre.

Es tan divino y eterno como Dios mismo. 1 S. Juan 5:20; S. Juan 1:1-3.

Tiene vida en sí mismo como el Padre. S. Juan 10:28; 5:26

Es el creador de todo cuanto existe, junto con el Padre. Hebreos 1:2; S. Juan 1:1-3.

Se hizo hombre, y vivió sometido a todas las pruebas y tentaciones de la humanidad. Filipenses 2:6-7; Hebreos 2:14, 16-18.

Pese a ello, mantuvo un carácter perfecto: nunca pecó. Hebreos 4:15. Ofreció voluntariamente su vida por la salvación de los hombres. Isaías 53; 1 S. Pedro 2:24.

Por su vida perfecta y su sacrificio expiatorio llegó a ser nuestro único Salvador. S. Juan 3:16; Hechos 4:12.

Es por ello nuestro Pontífice. Hebreos 8:1-6.

Es nuestro único intercesor ante Dios, nuestro único abogado ante el Padre. 1 Timoteo 2:5; 1 S. Juan 2:1.

5. El Espíritu Santo es la tercera Persona de la Divinidad.

Es enviado por Dios como representante del Padre y del Hijo. S. Juan 16:7; 14:26.

Gracias a su mediación, Dios puede morar en el corazón humano entrando en una relación personal con el hombre. Salmo 51:11; Romanos 8:9; 1 Corintios 2:11-12.

Es Quien convence al hombre de que ha pecado. S. Juan 16:8.

Es Quien opera el nuevo nacimiento. S. Juan 3:5-8; Tito 3:5.

Nos guía a toda verdad; es el único Maestro infalible. S. Juan 16:13; S. Mateo 10:19-20; S. Juan 14:26.

6. El hombre, creado por Dios, cayó en el pecado y fue redimido por Cristo.

El hombre fue creado a la imagen divina. Génesis 1:26-27.

Dios se proponía que viviera feliz en el Edén. Génesis 2:8-10.

Mediante la institución del hogar, debía fructificar y multiplicarse para llenar la tierra de seres dichosos. Génesis 1:27-28 2:24.

Pero el pecado atrajo sobre los hombres la debilidad moral y la muerte. Romanos 3:23; 5:12; 6:23.

Aunque el hombre es impotente, Cristo le ofrece el triunfo sobre el mal. Jeremías 13:23; Romanos 7:24-25; 1 Corintios 15:27.

El sacrificio vicario de Cristo salva del pecado y otorga poder para vivir una vida nueva. 1 S. Pedro 2:24.

7. La justificación del hombre se produce por la fe en Cristo. Efesios 2:8-9; Romanos 3:28. Las obras que se hacen con el fin deliberado de ganar la salvación no tienen poder ni mérito alguno.

8. La conversión y la santificación siguen a la justificación. La justificación, que entraña el derecho a la salvación, se logra por la fe. Pero el hombre necesita luego una preparación para el cielo. Esta comienza con el nuevo nacimiento

S. Juan 3:1-8, que determina un cambio en la conducta y actuación del hombre. Efesios 4:22-32. Luego se va operando un perfeccionamiento del carácter o santificación. 1 Tesalonicenses 4:3.

9. La oración es el medio para comunicarse con Dios. Esta constituye el diálogo directo con la Divinidad, ante quien el cristiano puede abrir su corazón y expresarle en forma espontánea sus necesidades y aspiraciones. S. Mateo 6:6-13; 7:7-12; Santiago 5:16.

10. La ley de Dios, o Decálogo, es norma eterna de justicia.

Abarca los supremos principios de conducta y la suma del deber humano. Eclesiastés 12:13.

Es eterna e inmutable, porque es el reflejo del carácter de Dios. S. Mateo 5:17-19.

Es santa, justa y buena. Romanos 7:12.

Será el código en base al cual se hará el juicio. Santiago 2:10-12.

Señala el pecado y conduce a Jesús. Romanos 7:7; Santiago 1:22-25; Gálatas 3:24.

11. La observancia del verdadero día de reposo está claramente enseñada por un mandamiento de las Escrituras: "Acordarte has del día de reposo, para santificarlo: seis días trabajarás, y harás toda tu obra; mas el séptimo día será reposo para Jehová tu Dios; no hagas en él obra alguna, tú, ni tu hijo, ni tu hija, ni tu siervo, ni tu criada, ni tu bestia, ni tu extranjero que está dentro de tus puertas; porque en seis días hizo Jehová los cielos y la tierra, la mar y todas las cosas que en ellos hay, y reposó en el séptimo día; por tanto Jehová bendijo el día de reposo y lo santificó" (Exodo 20:8-11).

El sábado es el monumento recordativo de la creación de Dios. Exodo 20:11.

Durante los 40 años de peregrinación del pueblo hebreo por el desierto, Dios realizaba un doble milagro para hacer posible la fiel observancia del sábado. Exodo 16.

El ejemplo de Cristo en la observancia del sábado lo confirma como día sagrado. S. Juan 15:10; S. Lucas 4:16-21.

Fue observado por los santos apóstoles. Hechos 17:2; 18:1-4.

En todas las épocas hubo cristianos fieles que lo observaron, aunque fueran minoría, sin sumarse a la apostasía general.

En 1863 se formó una iglesia que resucitó esta perdida institución bíblica —la observancia del sábado como verdadero día de reposo—, que llegó a llamarse Iglesia Adventista del Séptimo Día.

La fidelidad a los mandamientos de Dios —inclusive el cuarto— será la característica del verdadero pueblo de Dios del último tiempo. Apocalipsis 14:12.

De allí la promesa que Dios hace de darles parte en su eterno reino a los que no pisoteen el sábado, sino lo respeten y observen. Isaías 58:13-14.

12. Dios establece el deber religioso de cuidar la salud. Todo lo que favorece la salud se conforma al plan de Dios. 3 S. Juan 2.

Según la Biblia, el cuerpo es el templo de Dios. 1 Corintios 3:16-17; 6:19-20.

Por lo tanto todo lo que perjudique la salud, mancilla ese templo e impide la presencia de Dios en él.

Por ello, la religión de la Biblia elimina de los hábitos del hijo de Dios el uso del alcohol, el tabaco, las drogas, y todo alimento malsano, e impone a la vez la moderación en las cosas buenas.

Siendo que las leyes de la salud son tan sagradas como la ley moral de Dios, el llevar una vida higiénica, pura y exenta de vicios es parte integrante de la auténtica religión de Cristo.

13. La segunda venida de Jesús es inminente. Es ésta una de las enseñanzas que más veces se mencionan en las Escrituras.

Este suceso ha sido la esperanza milenaria de los patriarcas y profetas de la antigüedad. S. Judas 14; Job 19:23-26; Isaías 40:10; 25:8-9; Daniel 2:44.

Es la gran esperanza de los apóstoles. Tito 2:12-13; 2 S. Pedro 3:9-12; Apocalipsis 1:7.

El mismo Señor Jesucristo prometió volver. S. Juan 14:1-3.

Toda una multitud de profecías anuncian la inminencia de este suceso. S. Mateo 24; S. Lucas 21; Daniel 2:44; 7:13-14.

Ocurrirá en forma literal, visible y gloriosa. Hechos 1:10-11; S. Mateo 24:24-27; Apocalipsis 1:7.

Necesitamos una preparación espiritual para ese fausto acontecimiento. S. Lucas 21:34-36.

14. El estado inconsciente de los muertos y la imposibilidad de que se comuniquen con los vivos, constituye un elemento importante en el armonioso conjunto de verdades bíblicas.

En ocasión de la muerte los seres humanos entran en un estado de completa inconsciencia. Eclesiastés 9:5-6, 10; Job 14:10-14.

La resurrección de los justos se realiza en ocasión del regreso de Cristo. 1 Tesalonicenses 4:16-17.

La resurrección de los impíos ocurre mil años más tarde, para que sean juzgados y destruidos para siempre. Apocalipsis 20:5; Malaquías 4:1.

Los que hayan muerto en Jesús resucitarán con cuerpos incorruptibles e inmortales cuando vuelva Cristo, y los hijos de Dios fieles que estén vivos serán transformados sin ver la muerte. 1 Corintios 15:51-55; 1 Tesalonicenses 4:15-17.

15. La Santa Cena o Eucaristía es un rito sagrado meramente conmemorativo. El pan y el vino son meros símbolos del cuerpo y la sangre de Cristo, y no sufren ninguna transformación pues Jesús fue sacrificado una sola vez. 1 S. Pedro 3:18; Hebreos 9:28.

16. El bautismo por inmersión representa el nuevo nacimiento. Este santo rito de la iglesia, portal de entrada del cristiano en la confraternidad de los hermanos, representa la sepultura del hombre viejo en la tumba líquida y la resurrección del hombre nuevo para andar en nueva vida. Romanos 6:3-6. Cristo fue bautizado por inmersión. S. Mateo 3:13-17. Y así se practicó siempre esta ceremonia en la era apostólica; y así debe continuar efectuándose para no desvirtuar su hermoso simbolismo.

NOTAS

NOTAS

¡OBTENGA TODA LA INFORMACIÓN EN LA BIBLIOTECA CRISTIANA!

Ahora que usted ha leído *El gran conflicto*, usted querrá tener el resto de la información que se incluye en la Biblioteca Cristiana.

- Doce tomos, hermosamente ilustrados a todo color.

- Un verdadero tesoro de conocimiento bíblico que cubre toda la Biblia.

- Conozca el panorama de la historia desde el comienzo del pecado y la creación de nuestro mundo hasta que el pecado sea destruido para siempre.

- Encuentre respuestas a sus preguntas en la Biblioteca Cristiana:

Patriarcas y profetas

Profetas y reyes

El Deseado de todas las gentes

Los hechos de los apóstoles

El triunfo del amor de Dios

y *Las hermosas enseñanzas de la Biblia*

Las Bellas Historias de la Biblia

Para niños de edad escolar

Esta es la colección de 10 tomos más completa y verídica acerca de la Biblia que está disponible. Tiene más de 400 historias bíblicas y láminas a colores en casi cada página. A diferencia de la televisión, usted estará orgulloso de que sus hijos imiten a los héroes que se describen en sus páginas. Cada libro es una herramienta en las manos de cada padre y madre para enseñar a sus hijos a hacer decisiones sabias y duraderas. En tapa dura, a todo color.